Klaus Möckel Eine dicke Dame

Klaus Möckel

Eine dicke Dame

Kriminalroman

Bild und Heimat

ISBN 978-3-95958-103-5
1. Auflage dieser Sonderausgabe

Umschlaggestaltung: fuxbux, Berlin
Umschlagabbildung: © fotolia
Druck und Bindung: GGP Media GmbH, Pößneck

1

Sie hatte eine topfartige Kappe auf dem Kopf, an der seitlich eine lila Feder steckte, trug ein dunkelblaues Kleid mit einem golden glitzernden Schmetterling quer überm Busen und war reichlich dick. Mittelgroß, aber massig, sie wogte gewissermaßen durch die Tür, nachdem sie kurz angeklopft und mein »Herein« gar nicht erst abgewartet hatte.

Eine dicke Dame, dachte ich unwillkürlich, obwohl Dame nicht recht stimmte. Klobige Schuhe an den Füßen, eine ockerfarbene Handtasche, die nicht zur sonstigen Garderobe passte – alles an ihr war eine Spur zu bunt. Zu viel Schminke auf dem porigen Gesicht, die Hände grob und nicht ganz sauber – in einem Lagerraum konnten sie bestimmt zupacken. Der Blick aber war hoheitsvoll. Und ein wenig abschätzig, sie ließ ihn missbilligend über mein zusammengestoppeltes Mobiliar gleiten. Über den Schreibtisch mit den Wasserflecken auf der Platte, den viel zu hellen Rollschrank, die beiden abgesessenen Stühle und die vollgestopften Regale. Auch den altmodischen Kleiderständer musterte sie, an dem mein Mantel hing. »Sie sind der Chef hier?«, fragte sie mit rauer Stimme. Ich hätte antworten können: Der Chef, die Sekretärin, mein einziger Angestellter, ganz wie Sie wollen, aber ich begnügte mich mit einem Nicken. Ich stand am Anfang meiner Laufbahn als Priva – so die Abkürzung, die meine Mutter für das Wort Privatdetektiv gebrauchte – und wurde nicht gerade mit Aufträgen überhäuft. Meist war es Kleinkram, die Leute hatten in diesem Frühjahr 90 anderes im Kopf, als ihresgleichen beobachten, suchen oder verfolgen zu lassen und noch Geld dafür zu bezahlen. Eine Kleinigkeit, um mehr wird es sich auch diesmal nicht handeln, sagte ich mir und war dennoch neugierig. Die Erscheinung dieser Frau fiel immerhin aus dem Rahmen.

»Etwas mickrig, Ihr Betrieb«, beliebte sie zu bemerken, »arbeiten Sie etwa allein?«

»So wie alle großen Detektive.« Es war ein mäßiger Scherz.

»Hm ... Na meinetwegen. Für mich ist es sogar besser, wenn nicht so viele in der Sache herumpfuschen.«

»Sie sehen, Sie sind bei mir an der richtigen Adresse.«

»Das muss sich erst noch herausstellen.«

»Dürfte ich erfahren, worum es eigentlich geht?«, fragte ich nun langsam ungeduldig und unterließ es, ihr den Besuchersessel anzubieten, ein wuchtiges Lederstück aus der frühen DDR-Zeit; nach der Trennung von Ingrid war er endgültig in meinen Besitz übergegangen.

Sie ließ sich trotzdem hineinplumpsen. »Ich verlange unbedingte Verschwiegenheit.«

»Falls Sie meine Dienste in Anspruch nehmen, ist das im Preis inbegriffen.«

Sie nickte, gab aber keine Antwort. Unser eben erst begonnenes Gespräch schien schon ins Stocken zu geraten, doch ich hielt es für richtiger, sie nicht zu drängen. Meine langjährigen Erfahrungen gaben es mir ein. Sie wollte etwas und würde von selbst damit herausrücken.

»Da gibt es also wieder Privatdetektive bei uns«, sagte sie, »wer hätte das noch vor einem halben Jahr gedacht.«

»Vor einem halben Jahr hätte man so manches nicht gedacht. Nicht einmal geträumt, erahnt hätte man es ... Sie haben meine Adresse aus der Zeitung?«

»Genau. Ich hab Ihre Anzeige gelesen.«

Hatte sich die Ausgabe also doch gelohnt. Ich legte eine dicke Mappe, die allerdings nur mit Zeitschriftenartikeln und

-ausschnitten gefüllt war, gewichtig von einer Seite auf die andere. Ich wartete ab.

»Wie sind Sie auf den Gedanken gekommen, gerade diesen Job zu machen. Verdient man denn sein Leben damit?«

Ich dachte: Kaum, wenn man sich mit Leuten abgeben muss, die ewig nicht zur Sache kommen, erwiderte aber: »Es würde zu lange dauern, den ersten Teil der Frage zu beantworten. Und ob ich mich in dem Beruf behaupten kann, weiß ich noch nicht.«

»Jedenfalls haben Sie Erfahrungen, 'ne Ausbildung oder so was.«

»Das kann man sagen.«

»Etwa bei der ›Firma‹?«

Langsam wurde ich sauer. »Wenn's so wäre, würde ich's Ihnen nicht gerade ins Ohr säuseln, oder?«

Sie begann in ihrer Handtasche zu wühlen, an der außer der Farbe noch eine große Messingschnalle auffiel, holte aber letztendlich nur ein Papiertaschentuch heraus. Sie entfaltete es und schnäuzte sich geräuschvoll die Nase. Ein paar bunte Zuckerkügelchen fielen in ihren Schoß. Während ich unwillkürlich nach dem Namen für das Zeug suchte, sagte sie: »Gut, gut, geht mich ja nicht direkt was an. Kommen wir zur Sache. Mein Mann hat sich verflüchtigt. Ich möchte, dass Sie ihn aufstöbern.«

Also doch jemand, der Geld für meine Spürnase ausgeben wollte. Kein gewaltiger Auftrag, aber wenigstens einer, den ich für meinen neuen Job als normal empfand.

»Er ist mit einem Flittchen über alle Berge. Seit vier Tagen ist er schon weg. Doch so kommt er mir nicht davon, so nicht. Wenn er denkt, er kann sich alles mit mir erlauben, hat er sich getäuscht.«

»Er hat gesagt, dass er mit dieser anderen Frau weggeht?«
»Natürlich nicht, aber daran gibt's keinen Zweifel.« Sie walkte ein zweites Papiertaschentuch zwischen den Händen; das erste hatte sie in meinen Papierkorb geworfen, was ich nicht gerade hygienisch fand. »Sie hat ihn ganz geil gemacht, das Luder.«
Ich sagte: »Sie wussten also schon länger von seinem Verhältnis, Frau …«
»Iffka. Entschuldigen Sie, dass ich mich nicht vorgestellt habe. Ich wohne in Buchholz. Von Beruf bin ich Angestellte, jetzt allerdings Hausfrau.«
Ich fragte mich, was für eine Angestellte sie wohl gewesen sein mochte, erklärte jedoch: »Gut, Frau Iffka. Was ich meine, ist: Sie kennen die … Freundin?«
Die Dicke schnaufte verächtlich. »Das würde noch fehlen. Aus seinen Reden, sonst kein Stück. Wenn ich mich um jeden Rock kümmern wollte, hinter dem mein Alter …« Sie verstummte.
»Es handelt sich demnach nicht um das erste Verhältnis, das Ihr Mann mit einer anderen hat?«
»Natürlich nicht. Ihr Kerle seid doch so; wenn ein Flittchen euch die Waden zeigt, müsst ihr ranfassen. Aber diesmal war's anders.«
»Wie – anders.«
Sie stopfte das zweite, zerknüllte Tuch in die Tasche zurück. »Na, anders eben. Reineweg verrückt war er … Wollen Sie nun Geld verdienen oder nicht?«
Ich seufzte. Ja, ich will, dachte ich, von irgendwas muss der Mensch ja leben. »Siebzig Mark am Tag und Spesen«, sagte ich, »das ist der Mindestsatz. Bei erschwerten Bedingungen kann es teurer werden.«

Sie holte fünf Hunderter aus der Handtasche, steckte einen davon wieder zurück. »Reicht das als Anzahlung?«
»Ja, in Ordnung«, ich ließ mir nicht anmerken, dass ich weniger erwartet hatte. »Erzählen Sie mir bitte noch etwas von Ihrem Mann. Haben Sie ein Foto von ihm?«
Sie kramte auch das hervor, reichte es mir über den Tisch. »Was soll ich erzählen. Er heißt Erik mit Vornamen, ist Lagerverwalter. Na ja, er war es … früher. Er macht Verschiedenes.«
Ich betrachtete das Foto und konnte ein Lächeln nicht unterdrücken. Die Polaroidaufnahme in schon verblassten, bunten Farben zeigte einen mageren kleinen Kerl vor einem Rhododendronbusch. Er trug ein verwaschenes Kordhemd, Jeans und eine Jacke ohne Aufschläge. »Das ist Ihr Mann?«, fragte ich ungläubig.
Sie hatte meine Reaktion durchaus bemerkt und wohl auch erwartet. »Etwas dagegen?«
»Nein, nein, nur …«
»Das Mädchen, dem er nachgelaufen ist, heißt Rena, Rena Irgendwie. Sie arbeitet als Modell, soviel ich weiß. Wenn sie arbeitet, sie scheint sich mehr in Kneipen herumzudrücken. Da gibt's eine Bar im Zentrum, in der Sie wahrscheinlich was erfahren können: die ›Hexenbar‹, der Name sagt schon genug. Dort hat mein Alter sie aufgegabelt. Oder sie ihn.«
»Könnte es nicht sein, dass sich Ihr Mann einfach in der Wohnung dieser Frau aufhält?«
»Glaub ich nicht, dann wär er zwischendurch mal zu Hause aufgetaucht. Aber gehn Sie hin, wenn Sie die Adresse rauskriegen, schaun Sie nach. Je schneller Sie ihn finden, desto besser. Das andre übernehme ich.«
Mir war nicht klar, was genau sie übernehmen wollte, etwa

das Mädchen vertrimmen oder den Mann an der Hundeleine nach Hause führen. Doch ich bohrte nicht weiter, es brauchte mich nicht zu interessieren. »Haben Sie diese Rena schon mal gesehen?«, fragte ich noch. »Vielleicht von weitem. Können Sie mir eine Beschreibung geben?«

»Ich hab' sie nicht gesehen«, erwiderte die dicke Dame und stemmte sich aus meinem Sessel hoch, »aber dieser alte Trottel hat von ihr geschwärmt, als wäre er zwanzig. Kam mir zu lächerlich vor, als dass ich's ernst genommen hätte – mein Fehler. Schwarzhaarig muss sie sein, schlank, größer als er. Hat wohl meist knallenge Klamotten an, Pullis, Jeans, 'nen halben Zentimeter unter der Haut. Wie die jungen Dinger heute eben so gehn. Reicht das?«

»Ich hoffe«, sagte ich und dachte: Dieser spillrige Kerl muss ein Glückspilz sein. Wer kann es ihm in seiner Ehelage übelnehmen, wenn er mit solch einer Braut das Weite sucht.

2

Mein Mittag bestand aus gelben Erbsen mit Bauchspeck, entnommen einer Blechbüchse vom noch volkseigen genannten Betrieb Ogema/Seehausen; es war preiswert, weil subventioniert, und ich wärmte es in einem kleinen grünen Emailletopf auf. Während ich die Erbsen löffelte und Brot dazu aß, dachte ich zunächst über das griechisch klingende Wort Ogema nach – mit detektivischem Scharfsinn vermutete ich, dass es sich um eine Abkürzung von Obst- und Gemüseanbau handeln könnte. Dann nahmen meine Überlegungen eine andere Richtung... Dass ich mit meinen sechsunddreißig Jahren allein in dieser Zweizimmeraltbauwohnung hockte und meine Existenz fristen wollte, indem ich für dicke Damen die entlaufenen Männer aufspürte, zeugte nicht gerade von berauschenden Erfolgen. Nun gut, ich war endlich mein eigener Herr, niemand konnte mir mehr dreinreden. Ich hatte die Hälfte meiner Wohnung zum Büro umgemodelt und ein Schild an der Tür angebracht: »DETEKTEI GUNTHER KREY« – die Reimerei mochte albern sein, doch ich hoffte, dass sie sich mit der Zeit den Kunden einprägte. Ich baute auf die Zukunft. Aber baute ich nicht vielleicht erneut falsch? In manchen Augenblicken schien mir nichts auf dieser Welt mehr sicher.

Andererseits, was hätte ich sonst tun sollen. Alles war zwangsläufig so gekommen, die Trennung von Ingrid, die ihrem Handballtrainer den Vorzug gab, und der Krach mit Mellheimer, meinem Chef. Mein Ausscheiden aus der Kripo, als im Land schon alles drunter und drüber ging, war vorprogrammiert. Ja – ich hatte an diesen Staat geglaubt, in den ich hineingeboren wurde und an dem mein Vater, Emigrant während des Krieges, mitgebaut hatte. So fest glaubte ich an ihn und die mir vermittelten Ideale, dass ich lange Zeit die Argumente seiner Gegner für bloße Propaganda hielt. Die wirtschaftlichen Schwierigkeiten, die Beschränkungen für den Normalbürger sah ich als notwendig und vorübergehend an, und als ich Einblick in die Akten eines hohen Parteifunktionärs bekam, der Schiebereien mit Baumaterial betrieb, betrachtete ich das als unrühmliche Ausnahme. Doch der Funktionär ging straffrei aus, und das war kein Einzelfall. Während wir die kleinen Diebe und Schieber mit der Härte unserer Gesetze verfolgten, konnten sich Leute in bestimmten Positionen mit allem versorgen, was ihnen gefiel. Nach eigenem Recht. Da war Münzer, ein Bezirkssekretär, der gegen ein lächerliches Entgelt wertvolle Hölzer für den Eigenbedarf bezog und auch seine Kinder damit versorgte. Ein Prozess stand an, er wurde niedergeschlagen. Eine Schweinerei – ich besprach das mit Mellheimer, bekam privat auch recht, wurde jedoch, als ich keine Ruhe gab, zum Schweigen vergattert. Ich nahm das nicht hin, redete mit Kollegen darüber, versuchte, einen mir bekannten Reporter zu interessieren. Es gelang nicht, er hob sofort beide Hände, sah keine Möglichkeit, die Sache an die Öffentlichkeit zu bringen. Damals gab ich noch klein bei und kam im Dienst mit einem Verweis davon. Doch der Frust, meine Unzufriedenheit wuchsen. Den Mut zur Kündigung fand ich allerdings erst später, erst im vorigen November …

Nach dem Essen telefonierte ich mit Mutter und stellte danach ein paar Daten für einen Bericht zusammen, den ich einem anderen Kunden versprochen hatte. Zum Abend hin machte ich mich dann auf. Ich wollte in der »Hexenbar« ein bescheidenes Berliner Pils trinken.

Ich war noch nie dort gewesen, kannte eigentlich nur die Lokalitäten in den nördlichen Randbezirken, wo ich zu Beginn der achtziger Jahre einige Monate Streifendienst getan hatte. Diese Bar dagegen befand sich im Stadtinnern, in der Nähe der Volksbühne. Als ich ankam, hätte ich sie fast übersehen. Sie machte äußerlich nicht viel her, wirkte eher abgewrackt. Innen allerdings war sie vornehm hergerichtet. Die Wände nicht holzverkleidet, wie man das jetzt ständig sah, sondern mit einer Art Leder bespannt und mit allerlei Lampen bestückt. Ovale Tische und Stuhlsessel in Rotbraun, ein Tanzpodest, auf dem später am Abend wohl auch Vorführungen stattfanden; Striptease war dabei nicht mehr ungewöhnlich. Ein Tresen mit Hockern, Vitrinen und Bords mit den üblichen Flaschenbatterien und Zigarettenmarken. Gläser, Nippes, irgendwelcher Schnickschnack aus der plötzlich weit gewordenen Welt.

Das Licht ein bisschen schummrig, aber nicht zu dunkel, der Raum lang gestreckt. Allerdings schien es vorn größere Nischen zu geben. Eine davon war besetzt, offenbar Wessis, die ein preiswertes Abendbrot einnahmen.

An der Bar saß ein großer Kerl mit Fuchsgesicht: rötliches Haar, schräge Augen und Backenknochen, die eng beieinanderlagen. Er schlürfte einen Cocktail, dabei betrachtete er interessiert den Hintern der Bardame, die Pralinenpackungen in eine der Vitrinen räumte. Ich ging an einem weinnuckelnden Pärchen vorbei zum Tresen, schwang mich auf einen Hocker. Die in Silbergrau gehüllte Schankfrau wandte mir ihren Busen und ihre Aufmerksamkeit zu.

»Ein Pils«, forderte ich freundlich, »nicht so kalt.«

Das Fuchsgesicht, drei Hocker entfernt, entließ den Trinkhalm aus dem Mund und sah mich überrascht an. »Bier servieren wir nur an den Tischen«, erläuterte die Schankfrau. »Zum Essen.«

Nobel, nobel, dachte ich, aber das wird sich bald ändern. Die nahende Vereinigung der deutschen Lande und das harte Geld werden schon für einen kundenfreundlichen Service sorgen. Doch ich sagte höflich: »Wie wär's mit einer Ausnahme. Solange sich in diesem Etablissement noch nicht die Gäste drängen.«

Sie schien unschlüssig. Ich streichelte mit meinem Blick ihren Deltaausschnitt und schaute ihr in die Augen. Sie fragte: »Nehmen Sie einen Whisky dazu?«

»Einen Wodka Gorbatschow.«

»Sie haben Humor, was? Aber die Sorte ist zur Zeit nicht vorrätig.«

»Na gut, dann einen Korn.«

Sie stellte mir das Bier und den Schnaps hin und widmete sich wieder ihrer Vitrine.

Der Fuchsgesichtige machte das Maul auf: »Zum ersten Mal hier, stimmt's?«

»Das kann ich nicht leugnen. Man muss ab und zu was Neues ausprobieren.«

»Mit dem Bier hast du Glück, das hätte sie nicht jedem gegeben.«

Ich nippte am Glas. »Den ersten Schluck auf die nette Bedienung«, murmelte ich.

»Schon recht, kratz dich nur ein bei ihr.«

Die Silbergraue, ohne sich umzudrehen, bemerkte: »Quatsch nicht so kariert, Ulli. Du weißt, dass nicht ich die Regeln hier erfunden hab.«

»Ich würd mich noch mehr einkratzen«, erwiderte ich, »aber ich hab in diesem Lokal eine Verabredung.«

Sie bekundeten beide ein gewisses Interesse an meinen Worten, es war klar, dass sie sich um diese Stunde langweilten und für jede Ablenkung dankbar waren.
»Mit ’nem Mädchen namens Rena«, fügte ich träumerisch hinzu.
Die Bardame drehte sich nun wieder um. Lässig, sie warf mir einen prüfenden Blick zu, als wollte sie meine Fähigkeit im Verhalten bei Rendezvous abschätzen. Das Fuchsgesicht sagte: »Schön, wie du uns das mitteilst. Du singst es ja geradezu.«
»Weil die Frau einfach Musik ist. So ’ne Schlanke, Schwarzhaarige. Modell von Beruf. Vielleicht kennt ihr sie?«
»Schlanke, Schwarzhaarige gibt’s viele«, erwiderte Ulli. »Hab schon mancher ’nen Martini spendiert. Rena, sagst du? Weshalb sollten wir sie kennen?«
»Ich glaub, sie ist öfter hier.«
»So, hat sie das erzählt? Wo hast du sie denn aufgerissen?«
»Hab’ sie auf der Straße getroffen. Wir kamen ins Gespräch.«
Die Bardame mischte sich ein. »Ich könnte mir schon denken, wen Sie meinen. Sie trinkt nicht gerade Martini, eher einen guten Weinbrand. Rena heißt sie, stimmt, Vorwitz, Vorweg oder so ähnlich. Wundert mich aber, dass sie sich mit Ihnen verabredet hat. Sie war eine Weile nicht bei uns.«
»Weshalb sollte sie sich nicht mit ihm in der Bar verabreden, bloß weil sie eine Weile nicht hier war?«, fragte das Fuchsgesicht.
»Jemand hat gesagt, sie sei mit einem Bekannten weggefahren. Wann haben Sie Rena denn getroffen?«
»Vor drei Tagen«, erwiderte ich vorsichtig, »nein, vor vier. Das kann nicht sein, dass sie mit ’nem Bekannten weg ist. Davon hat sie nichts erzählt. Wer soll der Mann sein, und wohin ist sie gefahren?«

»Tut mir leid, das weiß ich nicht.« Die Schankfrau hob bedauernd die Schultern. »Vielleicht handelt sich's doch um eine andere.« Sie wandte sich einem Pärchen zu, das mittlerweile an der Bar Platz genommen hatte.
Ich kippte meinen Korn und trank mein Bier zu Ende. Ich hatte die Sache nicht gerade geschickt angefangen, hätte vielleicht direkter fragen sollen. Aber ich wollte nicht jedem auf die Nase binden, wer ich war. Scheinbar nervös, schaute ich mehrfach auf meine Uhr und zur Tür. Neue Gäste kamen, diejenige, auf die ich angeblich wartete, war natürlich nicht dabei. Das Fuchsgesicht griente schadenfroh. »Sie hat dich versetzt, die Hübsche, hat dich auf den Arm genommen.«
»Ich kann es mir einfach nicht vorstellen«, murmelte ich scheinheilig.
»Mach dir nichts draus, die Weiber sind so. Wenn du meine Erfahrung hättest …«
Er mochte etwas älter sein als ich, aber nicht viel. Offenbar ein kleiner Angeber. Auf seine Erfahrung konnte ich im Augenblick verzichten. Ich bat die Schankfrau: »Wer hat Ihnen das mit dieser Rena erzählt? Vielleicht ist es doch meine.«
»Tino, der Kellner dort drüben. Er kennt sie besser als ich.«
Ich glitt vom Hocker und wandte mich an den Kellner. Er wusste nicht viel, bestätigte aber immerhin den Namen: Rena Vorweg. Außerdem war er der Meinung, dass sie in der Nähe wohnte. Im Telefonbuch, das er mir im Austausch gegen einen Fünfmarkschein für ein paar Minuten zur Verfügung stellte, fand ich die genaue Adresse. Ich durfte auch anrufen, doch es meldete sich niemand. Dennoch beschloss ich, bei ihr vorbeizuschauen. Es war noch nicht allzu spät, und ich wollte sichergehen.

3

Ich zahlte und verließ das anheimelnde Lokal mit leichtem Bedauern. Ein paar attraktive Girls waren eingetroffen, auch schaute mir die Silbergraue mit nicht ganz unbeteiligtem Blick hinterher. Recht flott, die Dame, nun ja, vielleicht ließ sich die Bekanntschaft erneuern. Draußen war ich versucht, mir eine Zigarette anzuzünden, ich hatte eine angefangene Schachtel Juwel in der Jackentasche, aber ich unterließ es. Ich wollte mir das Rauchen abgewöhnen und hatte schon bemerkenswerte Fortschritte gemacht. Nur in schwierigen Situationen griff ich noch zum Glimmstängel; ich baute darauf, dass sie möglichst selten eintraten. Im Augenblick jedenfalls gab es keinen Grund, die guten Vorsätze über Bord zu werfen.

Der Kellner hatte mir die Richtung gewiesen, in die ich gehen musste, die Gegend war, abseits von den großen Straßen, wohltuend still. Allerdings auch dunkel – rechts eine Häuserlücke, ein schwarzer Schlund mit einer Funzel, offenbar von einer Baubude im Hintergrund, links der finstere Hof einer Kohlenhandlung. Ich lief durch eine Gasse mit alten, hohen Häusern, in die offensichtlich jahrzehntelang kein Pfennig gesteckt worden war, querte eine Straße mit komfortableren Neubauten. Dann war ich da. Eine Laterne vor dem Eingang, überhaupt war diese Ecke gut ausgeleuchtet. Die Gebäude hier waren kürzlich renoviert worden, sie sahen ordentlich aus, man roch noch die Farbe. Einige Meter von der Laterne entfernt türmte sich allerdings ein übrig gebliebener Sandhaufen.

Das Haustor, sehr solide, war unverschlossen. Zum Glück, denn es gab unten keine Klingeln. So wie in vielen Ostberliner Häusern musste sich der Besucher, der abends nach acht

Uhr unangemeldet auftauchte, hier sonst durch lautes Rufen bemerkbar machen oder darauf hoffen, dass ihn jemand im Erdgeschoss einließ.
Auf der Orientierungstafel im Flur war Rena Vorwegs Wohnung im zweiten Stock links ausgewiesen. Ich bemühte mich also nach oben. Im Grunde war ich gar nicht so scharf darauf, sie jetzt schon zu Hause anzutreffen. Wenn sie nämlich vorhin absichtlich nicht ans Telefon gegangen war und Erik Iffka vielleicht mit einem Bierchen in der Hand vor ihrem Fernseher lümmelte, hatte ich meine Mission erfüllt. Dann konnte ich meiner dicken Dame Mitteilung machen und drei Viertel der angezahlten vierhundert Mark an sie zurückreichen.
Vor der Tür mit dem Namensschild R. Vorweg angelangt, drückte ich den Klingelknopf und wartete ab. Drinnen ertönte ein Bimmeln, hallte wider, als sei die Wohnung ausgeräumt, aber sonst blieb alles still. Ein zweiter Versuch war gleichfalls erfolglos, gab mir lediglich die Muße, den lindgrünen Wandanstrich und den hellbraunen Fußbodenbelag von Treppe und Podest zu betrachten. Keine besonders geschmackvolle Zusammenstellung, wenn auch neu.
Offenbar war niemand da, und ich durfte das Honorar meiner dicken Dame weiterhin abarbeiten. Fragte sich bloß, auf welchem Weg ich vorankam. Ich beschloss, bei den Nachbarn gegenüber Erkundigungen einzuholen. Diesmal näherten sich auf mein Läuten hin drinnen schnelle Schritte. Ein Mädchen Anfang der Zwanzig öffnete.
»Entschuldigen Sie die Störung, ich wollte zu Frau oder Fräulein Rena Vorweg.«
»Das bin ich nicht«, erwiderte das Mädchen, das blond war und etwas pummelig. »Die wohnt nebenan.«

»Natürlich. Ich dachte nur … Vielleicht können Sie mir sagen, wo sie ist und wann sie wiederkommt.«
»Sind Sie von drüben? Gehören Sie zu dieser Agentur?«, fragte die junge Dame.
»Nein … das heißt, in gewisser Weise doch.« Ich hatte gemerkt, dass ihr Interesse an meiner Person nach meiner Verneinung sofort erlosch, und bemühte mich, es durch ein bisschen Schwindelei wieder anzufachen.
»Was bedeutet *in gewisser Weise*?«
»Dass ich eine Art Vermittler bin. Nicht direkt zur Agentur gehöre, aber mit ihr zusammenarbeite.« Ich stotterte horrenden Unsinn.
»Und weshalb kommen Sie so spät abends?«
Ich war der Detektiv und musste mich einem Verhör unterziehen, ich kam mir albern vor. »Ich rufe seit zwei Tagen an und kann Fräulein Vorweg nicht erreichen«, sagte ich. »Es ist etwas spät geworden, aber ich hatte in der Nähe zu tun.«
»Rena ist schon seit ein paar Tagen weg. Wohin, weiß ich nicht. Auch nicht, wann sie wiederkommt.«
Wir wurden unterbrochen. Ein Kerl mit Brille und wallender Mähne kam die Treppe herunter, tastete mich mit seinem Blick ab. Er hatte etwas betont Künstlerisches an sich, trug karierte Baumwollhosen, einen knallgelben Rollkragenpullover und rechts einen großen Ohrring. Das Mädchen sprach ihn an: »Der Mann hier will zu Rena. Vielleicht können Sie ihm sagen, wo sie steckt.«
»Was wollen Sie von Rena?«, fragte der »Künstler« in einem fordernden Ton, der ihn mir unsympathisch machte.
»Sind Sie ein Bekannter von ihr?«
»Er ist Designer«, erläuterte das Mädchen, »er entwirft tolle Kleider. Manchmal hat mir Rena eins vorgeführt.«

Aus unverständlichem Grund schien dem Langmähnigen diese Auskunft nicht zu passen. Er brummte: »Du sollst nicht so viel schwatzen, Jeanette. Rena hat in letzter Zeit kaum für mich gearbeitet, das weißt du doch.«

»Ist ja gut, Herr Kehl, ich wollt's bloß erklären.«

Als sei sie Luft, wandte sich der Designer von ihr ab und starrte wieder mich an. Musterte mich erneut von Kopf bis Fuß. Dann bemerkte er: »Wo Fräulein Vorweg ist, kann ich Ihnen beim besten Willen nicht sagen. Aber wenn es sich um etwas Wichtiges handelt …«

Das Mädchen Jeanette war beleidigt, sie verschwand in ihrer Wohnung und zog geräuschvoll die Tür hinter sich zu. Der Mann, den sie »Herr Kehl« genannt hatte, nahm keine Notiz davon.

Ich musste grienen. Dann entschloss ich mich und holte das Foto Erik Iffkas aus der Brieftasche. »Eigentlich bin ich seinetwegen hier«, erklärte ich. »Ich dachte, der da könnte sich bei Fräulein Vorweg aufhalten.«

Kehl warf einen Blick auf das Foto. »Dieser Mann? Wie kommen Sie darauf? Hat er was ausgefressen? Sind Sie etwa von der Polizei?«

»Nein, nein, es ist eine private Ermittlung. Die Familie macht sich Sorgen, Sie verstehen.«

»Gehören Sie zu seiner Familie?«

»Das nicht, ich bin Privatdetektiv. Gunther Krey.« Es war das erste Mal, dass ich meinen neuen Beruf bei Nachforschungen ins Feld führte.

Er schaute mich geradezu missbilligend an. »Ich kann Ihnen leider gar nicht weiterhelfen«, sagte er steif. »Ich habe den Menschen auf dem Foto nie gesehen.«

4

Der Designer setzte sich in Bewegung, und da ich hier nichts mehr verloren hatte, folgte ich ihm. Schweigend gingen wir fast nebeneinander die Treppe hinunter. Im Hausflur fragte ich ihn noch, ob er eine Ahnung habe, wann Fräulein Vorweg zurückkäme, aber er verneinte auch das. Draußen stieg er in einen hellgrünen Lada mit allerhand Aufklebern und fuhr ohne einen Gruß davon.

Manche Leute sind so. Er hatte keinen Grund gehabt, mir auf Wiedersehen zu sagen oder zuzunicken, und hatte es folglich nicht getan. Ich stand einen Augenblick lang auf der Straße und überlegte, was ich nun erreicht hatte. Offensichtlich nicht allzu viel. Immerhin wusste ich jetzt: Iffka hielt sich nicht bei Rena auf. Wenn der Verdacht meiner dicken Dame stimmte, und weshalb sollte ich daran zweifeln, machten die beiden eher eine kleine Vergnügungsreise. Ob der Designer wirklich so wenig Ahnung davon hatte, wie er vorgab?

Ich ging auf die andere Straßenseite, wo von der Wahl her noch allerlei Plakate an den Häuserwänden klebten, außerdem Werbung für neugegründete Klubs und Videotheken. Ich schaute hoch zu den Vorweg-Fenstern. Sie lagen im Dunkeln, nur nebenan, bei dieser Jeanette, brannte Licht. Ein Schatten – stand sie selbst hinterm Vorhang, oder war es jemand anderes? Ich hob die Hand, winkte nach oben. Die Gestalt trat ins Zimmer zurück.

Es kam auf einen Versuch an. Ich kehrte in das Haus zurück, nahm erneut die beiden Treppen, klingelte an der Tür mit dem Schild »Nebentaler«.

Das Mädchen öffnete ein zweites Mal. »Sie? Was wollen Sie noch?«

»Bitte entschuldigen Sie, wir wurden vorhin unterbrochen. Dieser Herr Kehl war nicht gerade freundlich zu Ihnen.«
»Manchmal ist er ein richtiger Stiesel, er kann aber auch nett sein.« Eine leichte Röte überzog ihr Gesicht.
»Diesmal war er es jedenfalls nicht.« Ich schaute sie so verzeihungheischend an, als wäre ich daran schuld.
»Und Sie sind nicht der, für den Sie sich ausgeben. Von wegen, Sie haben mit der Modeagentur zu tun!«
Sie hatte also gelauscht und wusste Bescheid. Wahrscheinlich hatte sie hinter der Tür den Rest unseres Gesprächs mit angehört. Ich entgegnete: »Gut, Sie haben mich ertappt, ich entschuldige mich … Aber mein Beruf ist bestimmt genauso interessant wie einer, der mit Mode zu tun hat. Nur dass man eben einiges in Erfahrung bringen muss. Deshalb bin ich noch mal hochgekommen. Ich möchte gern etwas mehr über Rena Vorweg wissen. Darf ich einen Augenblick eintreten?«
»Hm, ich weiß nicht. Meine Eltern sind nicht da.« Ihr Blick war misstrauisch.
»Es geht mir wirklich nur um ein paar Auskünfte. Und hier draußen, vor der Tür …«
Sie vertraute schließlich meinem ehrlichen Gesicht, ließ mich ein. Sie war unvorsichtig, aber auch neugierig. Sie bat mich ins Wohnzimmer, wo ich mich in einen Sessel setzen durfte. Ich wurde von einer Lampe bestrahlt, die aussah, als sei sie gerade erst gekauft. Die Schrankwand, der Tisch, die Stühle und ein Regal neben einer in Öl gemalten Hochgebirgslandschaft schienen älteren Datums, aber diese Lampe, das Sofa und auch der Sessel, in dem ich platziert worden war, machten einen brandneuen Eindruck. Offenbar erst vor kurzem erworben. Viele Leute hatten Angst, das Ostgeld könnte verfallen, und legten es in Werten an, die sie für sicher hielten.

Jeanette setzte sich gleichfalls, drückte sich in eine Sofaecke und schaute mich erwartungsvoll an. Sie trug Jeans, die ein bisschen in die Fettpölsterchen an den Hüften schnitten, die Bluse umspielte eine gut gerundete Brust. Das blonde Haar war glatt und kurz geschnitten. Doch wegen dieses insgesamt erfreulichen Anblicks war ich ja nicht hier. »Was ist Rena Vorweg für eine Frau?«, fragte ich. »Bitte erzählen Sie mir etwas über sie.«

»Hat sie was ausgefressen?«

»Das nicht. Ich möchte mir bloß ein Bild von ihr machen.«

»Ich kann sie gut leiden. Sie hat 'ne tolle Figur, nicht so wie ich.« Sie klopfte sich gegen die Hüfte. »Und sie war immer nett zu mir, hat mich manchmal sogar was anprobieren lassen. Na ja, sie führt kein geregeltes Leben. Weil sie oft spät kommt und wegen der Männerbekanntschaften ist sie im Haus nicht so gut angesehen.«

»Was sind das für Männerbekanntschaften? Solche wie dieser Designer?«

»Ganz unterschiedlich, würd ich sagen. Sie macht doch bei Modenschaun mit und kommt viel rum. Halbgewalkte Typen waren schon dabei; einer hat ein paarmal ziemlich Rabatz im Haus gemacht, wenn er besoffen war. Doch oft sind die Leute bloß beruflich da. Fotografen und so, Modefritzen.«

Ich kramte erneut das Foto Erik Iffkas hervor und hielt es ihr hin. »Haben Sie bei Rena mal diesen Mann gesehn, vielleicht in der letzten Zeit?«

»Ist der von einer Zeitschrift? Hat er Aufnahmen mit ihr gemacht?«

»Ich glaube nicht«, erwiderte ich. »Er ist verschwunden, und ich suche nach ihm. Rena soll ihn kennen, sogar gut. Aber das bleibt unter uns, einverstanden?«

Sie legte das Foto auf die flache Hand und betrachtete es eingehend. Da sie den Kopf vorbeugte, gestattete sie mir einen tieferen Blick in ihren Ausschnitt. Ab und zu hält die Ermittlungsarbeit auch solche kleinen Freuden bereit.

»Ja«, sagte Jeanette, »das könnte der Gnom sein, der kürzlich mal in ihre Wohnung huschte. Morgens war das, so halb neun, ich wollte ins Geschäft, ich arbeite im Kaufhaus, Lederwaren. Wenn Sie mal einen Koffer brauchen oder ein neues Portemonnaie. Erst haben die Leute wie verrückt gekauft, aber jetzt ist Flaute. Möcht wissen, was das noch werden soll.«

Obwohl mich mitunter ähnliche Gedanken bewegten, unterbrach ich ihre Rede. »Ich werde darauf zurückkommen. Im Augenblick verreise ich nicht so viel, und es fehlt mir auch an Kleingeld ... Sie wollten mir von dem Mann erzählen.«

»Ich denke, er war's, ich hab ihn bloß kurz gesehen, ich kam gerade aus der Wohnung. Aber das Hemd und die komische Jacke. Ich dachte, vielleicht wird das jetzt wieder Mode, ohne Revers und so. Er war genauso mager. Ein Fliegengewicht, ich hab mich gewundert.«

»Könnten Sie sich vorstellen, dass Rena mit diesem Mann ein Verhältnis hat?«

Sie lachte und gab mir das Foto zurück. »Mit dem, Sie sind verrückt. Da gibt's doch ganz andere. Rena hat die Auswahl, man sieht, Sie kennen sie nicht. Der hatte was mit Mode zu tun, mit einer Agentur, was weiß ich. Vielleicht erhoffte sie sich was von ihm, Aufträge, ein Engagement. Seit sich das alles geändert hat, seit so viele Mädchen auf Sex machen« – sie wurde erneut ein bisschen rot –, »ist die Konkurrenz größer geworden, verstehen Sie.«

Ich stand auf, was sie ein wenig zu bedauern schien. Wenn

sie auch nicht unbedingt auf Sex machte, ich hatte schon das Gefühl, dass sie ein munterer Spielgefährte sein konnte. Doch das Gefühl wurde beiseitegeschoben, und gleich darauf standen wir im Korridor.

»Trotzdem würde ich mit Fräulein Vorweg gern selber darüber sprechen. Was meinen Sie, bei wem könnte man nachfragen?«

»Ist es wirklich so dringend?«

»Für mich schon. Wenn ich mich in meinem Job behaupten will, muss ich gewisse Ergebnisse erzielen.«

»Der verdammte Job. Meiner wackelt auch.«

»Dann brauch ich Sie ja nicht zu agitieren«, ich setzte mein gewinnendstes Lächeln auf.

Sie gab sich einen Ruck. »Hoffentlich mach ich jetzt nichts falsch. Also, wohin sie wollte, mit wem, wie lange und so weiter – ich hab wirklich keine Ahnung. Aber wenn Ihnen das was nützt, sie hat eine Freundin in Zehlendorf. Die Uschi, eine ehemalige Kollegin, ich hab sie nie gesehen, sie muss schon länger rüber sein. Rena hat mir von ihr erzählt. Vielleicht weiß die was.«

5

Über die Adresse in Zehlendorf verfügte das Mädchen Jeanette nicht, sie wusste auch keinen Familiennamen. Aber Rena Vorweg hatte ihr bei früherer Gelegenheit die Telefonnummer genannt. »... für dringende Fälle, als sie mal zu Besuch in Westberlin war. Sie hat Uschi bei der Polizei für ihre Tante ausgegeben, verstehn Sie, Verwandtenbesuch!«

Noch am Abend, nach Hause zurückgekehrt, hängte ich mich an die Strippe, kam im vierten Ansatz auch durch. Doch obwohl ich es fünf Minuten lang bimmeln ließ, nahm niemand ab. Ich hatte mir vorgenommen, nicht mit der Tür ins Haus zu fallen, mich als Vertreter eines Modeateliers vorzustellen, vorsichtig das Terrain zu erkunden und vielleicht einen Köder auszuwerfen. Es kam nicht dazu – für heute konnte ich mein Tagewerk getrost beenden. Ich war nicht enttäuscht. Ich hatte mich redlich bemüht und immerhin erste Dinge geklärt. In einem solchen Beruf darf man sich nicht zu viel auf einmal vornehmen. Ermittlungsarbeit war sowieso mühselig, das wusste ich von früher.

Meine Wohnung lag im vierten Stock in der Nähe der »Weißenseer Spitze«. Die Gegend war einkaufs- und verkehrsgünstig. Ich besaß, wie viele Noch-DDR-Bürger, ein Auto, einen fünf Jahre alten Wartburg, der mir redlich diente, doch in der Stadt fuhr ich meist mit Straßenbahn und Bus, auch U- und S-Bahn waren von hier aus gut erreichbar. Nach der vergeblichen Telefoniererei griff ich mir einen Apfel und eine Fettsemmel, trat kauend auf den kleinen Balkon hinaus, den ich als den größten Luxus meiner Wohnung betrachtete. Ich ließ den Blick in die Runde schweifen, über die mäßig beleuchtete Straße unten, das flache Dach der Kaufhalle, ein sich langsam mit Grün bedeckendes Rasenstück, einige noch blattlose Bäume und eine breitere Straße, die, was den Verkehr betraf, seit Öffnung der Mauer mehr und mehr zu einer lärmenden, von Benzinduft erfüllten Magistrale wurde. Dabei überlegte ich mir, dass ich am nächsten Tag nach Zehlendorf fahren, vorher aber bei meiner dicken Dame in Buchholz vorbeischauen wollte. Sie besaß kein Telefon, doch es schien mir angebracht, das Gespräch von neulich etwas zu vertiefen. Nach allem, was ich heute über Rena gehört hatte, konnte ich mir eine Beziehung zwischen ihr und diesem Erik, eine Flucht ins Unbekannte aus Liebesgründen immer weniger vorstellen. Von seiner Seite aus war die Sache schon denkbar, aber von ihrer? Vielleicht war da noch etwas anderes im Spiel, und meine Klientin hatte mir einiges vorenthalten.

Es gibt Morgenstarter und Morgenmuffel, ich war mal das eine, mal das andere, genoss aber insgesamt den Vorteil meiner neuen Unabhängigkeit, nach Belieben ausschlafen zu können. Nach dem Frühstück, bestehend aus Kaffee, Schwarzbrot mit Butter und Käse, einer Scheibe Bierschinken, einem Honigbrötchen – ein großzügiges Mahl für einen Junggesellen –, machte ich mich auf ins Domizil Iffka. Mit dem Wagen diesmal, denn es war ja nicht gesagt, dass ich die dicke Dame zu Hause antraf, und ich wollte nicht zu viel Zeit mit einer Rundreise verbringen. Natürlich verfuhr ich mich zunächst; ein paar Umleitungen ließen mich übers Ziel hinausschießen; aber schließlich landete ich in einer Gasse, die zu einer Art Park führte. Vorn am Park, aneinandergeklatscht, einige zwei- oder dreistöckige Häuser, die ihre beste Zeit schon eine Weile hinter sich hatten. Das zweite in der Reihe war das richtige, und ich stellte den Wagen ab. Die Wohnung lag im Erdgeschoss. Der Flur des Hauses machte einen

verlodderten Eindruck: die Wände zerkratzt und fleckig, der Fußboden schmutzig, doch die Wohnungstür war frisch lackiert, hoch, breit und stabil. Ich klingelte, das heißt – ich gongte, denn es war ein Kling-Klong, was drinnen ertönte, aber nichts rührte sich. Offenbar hatte ich Pech, und die Frau war nicht zu Hause.
Ich gongte ein zweites Mal, erneut keine Reaktion. Eine Treppe führte nach oben, vielleicht war die dicke Dame nur bei der Nachbarin, doch anstatt mich dort zu erkundigen, zog es mich nach hinten in den Hof, der geräumig war und von einer Mauer umschlossen. Allerlei Gerümpel türmte sich, neben einem Schuppen stand ein alter Sägebock.
Der Hof lag still da, alle Fenster der Rückfront waren geschlossen, nur von einem der Nachbarhäuser lärmte Musik herüber. Das Fenster gleich neben der Hintertür konnte zur Toilette der Iffkas gehören, daran schloss sich möglicherweise das Schlafzimmer an. War es Neugier, war es eine kaum erklärliche Ahnung, ich sah die Gardine hinter dem zweiten Fenster halb zurückgezogen und fühlte mich gedrängt, einen Blick durch die Scheibe zu werfen. Nach kurzem Zögern stellte ich den Sägebock unters Fenster, kletterte hinauf und presste die Nase gegen das Glas. Wie ein Halbwüchsiger, der seine Schwester mit ihrem Macker beobachten will.
Zunächst konnte ich nicht viel ausmachen, nur dass es sich tatsächlich um das Schlafzimmer handelte. Auf der einen Seite befand sich ein großer Kleiderschrank, auf der anderen standen die Ehebetten, und geradeaus war die Tür. Das eine Bett lag unberührt, das andere aufgedeckt und zerwühlt, dort hatte bestimmt die Dicke gepennt. Die Tür stand halb offen, wahrscheinlich führte sie zum Korridor.
Schon wollte ich von dem Sägebock wieder herunterspring-

gen, da entdeckte ich sie, halb hinter den Betten liegend, halb gegen den Nachttisch gelehnt, nahm sie eine unnatürliche Stellung ein – ich konnte nur den Kopf sehen, einen Arm, die Schultern. Sie bewegte sich nicht; war sie etwa betrunken und total weggetreten?
Ich erschrak, mir schien, dass ich etwas tun musste. Ich begann gegen die Scheibe zu klopfen und zu rufen, doch sie reagierte nicht. Ich drückte mit voller Kraft gegen den Wetterschenkel des einen Fensterflügels, und er gab überraschenderweise nach – das Fenster war nicht verriegelt. Ohne weiter zu zögern, zog ich mich am Rahmen hoch, schwang mich über den Sims, war mit zwei Sätzen bei ihr. Nein, es war nicht bloße Trunkenheit, auch wenn mir eine Alkoholfahne entgegenwehte. Die dicke Dame hockte, lehnte am Nachtschränkchen in einem Morgenrock, dessen rechter Ärmel zerrissen, dessen unterer Knopf abgesprungen war, und der den Blick auf die – man muss schon sagen, fetten – entblößten Schenkel freigab. Der Busen drängte sich aus dem Ausschnitt, das Hemd guckte am Bauch hervor, und sie sah insgesamt schlimm aus. Zerschlagen, mit blauen Flecken und Kratzwunden an Armen, Beinen, im Gesicht. Als wäre sie in eine Dreschmaschine geraten.
Sie war ohnmächtig oder nicht mehr am Leben. Ich kniete nieder, um ihr den Puls zu fühlen, packte ihr Handgelenk, und plötzlich schlug sie die Augen auf. Sie starrte mich an, offensichtlich ohne zu begreifen, wen sie vor sich hatte.
Dann ein Ächzen, ein Versuch, sich etwas mehr aufzurichten. Ich war unheimlich erleichtert. Dame oder Marktweib, dick oder nur vollschlank, Klientin oder nicht: lebend war sie mir lieber. Ihren nicht gerade angenehm riechenden Schnapsatem nahm ich in Kauf.

»Sie?«, sagte die Dicke und griff sich an den Kopf, den eine Beule zierte; auch das eine Auge war umschattet. »Was machen Sie denn hier?« Jetzt hatte sie mich also erkannt.

»Was, zum Teufel, ist mit Ihnen passiert, Frau Iffka? Ich hab Sie durchs Fenster liegen sehn und einen Heidenschreck bekommen.«

»Durchs Fenster? Wieso?« Und nach längerer Pause: »Muss wohl gestürzt sein, hatte was getrunken.« Ihre Stimme war ein Röcheln.

Sie bemühte sich erneut, hochzukommen, zerrte den Morgenrock über der Brust zusammen. Ich wollte ihr helfen, aber die Schwierigkeit bestand darin, einen Ansatzpunkt zu finden. Sie füllte den Raum zwischen Bett und Wand ganz allein mit ihrer Masse aus, und dass ich sie an den Füßen fasste, half überhaupt nichts.

Sie stöhnte, jaulte auf, als ich sie vom Bett aus emporzuziehen versuchte. »Au, meine Rippen, meine Schulter.« Das Manöver war bestimmt ein Bild für die Götter.

Doch sie war zäh. Als es mir endlich gelang, sie unter den Armen zu packen, wuchtete sie sich aufs Bett und versicherte, dass sie gleich wieder auf den Beinen sei. Ich bezweifelte es, aber sie lehnte es kategorisch ab, einen Arzt zu rufen. »Quatsch, da hab ich schon ganz andere Sachen wieder hingekriegt. Bloß die Birne dröhnt wie verrückt. Aber so lange sie nicht auseinanderplatzt …«

Ich rannte aus dem Schlafzimmer, um ein nasses Handtuch zu holen. Im Korridor stolperte ich über einen umgeworfenen Schirmständer, im Wohnraum, dessen Tür sperrangelweit offen stand, sah es aus wie nach der Schlacht bei Auerstedt. Der Tisch stand schräg im Zimmer, ein Sessel war umgekippt, in einem zweiten lag eine Blumenvase. Das Wasser war ausgelaufen und hatte die Polster durchnässt; rosa Tulpen, halb erblüht, verteilten sich über den Fußboden. Die Scheibe eines Wandschranks war zerschlagen, Geschirr scherbte auf dem Teppich. An der Wand hing schief ein großes Ölbild, eine Adrialandschaft mit blauem Meer und Zypressen.

Ich hetzte ins Bad, schnappte mir das erstbeste Handtuch und drehte den Kaltwasserhahn auf. Machte das Tuch nass, wrang es aus. Ins Schlafzimmer zurückgekehrt, legte ich der dicken Dame die Kompresse auf die Stirn. Wenn ihr Blick bei all ihrer Benommenheit in diesen Sekunden etwas ausdrückte, dann war es Dankbarkeit.

Nachdem sie sich einigermaßen erholt hatte, sagte ich, bemüht, Behutsamkeit in meine Stimme zu legen: »Für ein bisschen Alkohol und einen kleinen Sturz ist das, was man mit Ihnen angestellt hat, zu gewaltig, finden Sie nicht? Im Wohnzimmer sieht's aus, als hätten Sie einen Bulldozer zu Besuch gehabt.«

»Was haben Sie in meinem Wohnzimmer verloren? Wie sind Sie überhaupt hier hereingekommen, die Tür war abgeschlossen.«

Ich erklärte es. Dann fragte ich nochmals eindringlich, was geschehen war.

Sie stöhnte. »Nichts, was Sie beunruhigen müsste. Haben Sie meinen Mann gefunden?«

»Leider noch nicht. Aber vielleicht gibt es eine Spur. Dazu müssten Sie mir ein bisschen mehr von sich und ihm erzählen, Frau Iffka.«

Plötzlich war sie voll da. »Erzählen, erzählen«, erwiderte sie böse. »Was stehn Sie hier rum. Wenn es eine Spur gibt, gehn Sie ihr nach, dafür werden Sie bezahlt. Ich muss ihn aufstöbern, so schnell wie möglich.«

Sie verzog das Gesicht schmerzhaft, das Sprechen strengte sie an. Ich aber dachte gar nicht daran, so unaufgeklärt wieder abzuziehn. Ich setzte mich auf einen Stuhl.

»Wollen Sie mehr Geld? Soll ich Ihr Honorar erhöhen?«

»Darüber reden wir noch. Zuerst müssen Sie mir erklären, was hier los war. Ich vermute, der Zustand Ihrer Wohnung und das da« – ich deutete auf ihre Wunden – »hat mit Ihrem Mann zu tun.«

»Kein Stück«, knurrte sie.

Ich holte zwei Blaue aus der Tasche, hielt sie ihr hin. »Ich gebe den Auftrag zurück. Ohne Kenntnis der Zusammenhänge sind weitere Ermittlungen zu gefährlich. Und überhaupt ist mir die Geschichte zu dunkel.«

Sie nahm das Geld nicht. »Also gut, wenn's unbedingt sein muss. Ich hab Dresche bezogen, und nicht zu knapp. Zufrieden?«

»Dresche von wem?«

»Von zwei verdammten Schweinehunden. Ich wollte sie mit ein paar Klaren besänftigen, doch das beruhigte sie nicht. Haben den Schnaps getrunken und sich trotzdem aufgeregt. Bei der Auseinandersetzung haben sie übrigens auch was abgekriegt, dem einen muss ganz schön das Gebiss klappern. Aber es waren zwei, verstehn Sie.«

Trotz ihrer jämmerlichen Lage gab sie diese Erklärung mit einem gewissen Stolz ab, eben eine Dame. Ich fragte: »Wofür haben Sie die Prügel gekriegt, Frau Iffka?«

»Wofür schon. Wir waren unterschiedlicher Meinung, und es sind nicht gerade meine Freunde.«

Ich hielt ihr die Hunderter erneut hin. »Ich glaube, wir verstehen uns immer noch nicht.«

»Okay, ich schulde den Leuten etwas. Eine gewisse Summe.

Ich müsste sie zurückzahlen, kann es im Augenblick aber nicht. Das heißt, Erik müsste zurückzahlen, doch er ist ja mit diesem Weibsstück und der Knete abgehaun. Jetzt halten sie sich an mich. Deshalb muss ich den Hurenkerl unbedingt finden.«

Nun wurde mir einiges klar. Die Eifersucht war nur vorgeschoben gewesen, in Wirklichkeit ging es ums Geld. Vielleicht um eine Menge Geld, da sie's alle so eilig hatten. »Irre ich mich«, fragte ich, »wenn ich vermute, dass die beiden weitergezogen sind, um Erik und Rena aufzustöbern?«

»Sie irren sich nicht.«

»Wie heißen die Kerle, wie sehn sie aus?«

»Ich kenne ihre Namen nicht«, erwiderte die Dicke. »Der eine ist untersetzt, hat ein rotes Säufergesicht und 'ne Knollennase. Er nannte den anderen, so einen Gelackten, Schwarzhaarigen, Ecke. Dieser Ecke hat von mir eins in die Zähne gekriegt. Auch mit dem Leuchter hab ich ihn erwischt. Ich hoffe, er hat eine Woche lang ein schiefes Maul.«

Nachdem sie diesen frommen Wunsch ausgesprochen hatte, legte die dicke Dame den Kopf aufs Kissen und sagte keinen Ton mehr. Sie hatte sich völlig ausgegeben, und ich beschloss, sie nicht weiter zu strapazieren. Ich wollte mich vielmehr bemühen, vor Ecke und seinem Kumpan bei Erik Iffka zu sein. Vielleicht konnte ich Rena Vorweg bewegen, ihn finanziell nicht völlig auszunehmen, und ihm so die Abreibung ersparen, die ihm andernfalls doppelt blühte: von seinen Gläubigern und von seinem sicher schon bald wieder handlungsfähigen Weib.

6

Der Klient ist eine ehrliche Haut, solange niemand das Gegenteil bewiesen hat. Mit dieser Überlegung schob ich aufkommende Zweifel beiseite, dass es sich im Fall von Frau Iffka anders verhalten könnte und sie in dunkle Geschäfte verwickelt war.

Gewiss, ich hätte, bevor ich sie verließ, gern noch erfahren, wofür ihr Mann und sie Geld schuldeten, um welche Summen es sich in etwa handelte und Ähnliches. Ich musste achtgeben, dass ich nicht in Dinge hineingezogen wurde, die mich mit dem Gesetz in Konflikt brachten. Doch andererseits – die Gesetze veränderten sich im Augenblick rapide, Werte, die als sicher gegolten hatten, verfielen, andere rückten in den Vordergrund. Die Notwendigkeit dagegen, meinen Lebensunterhalt zu verdienen, blieb. So nahm ich mir vor, mich mehr an die inneren moralischen Grundsätze zu halten. Wenn es irgendwo zu sehr stank, würde ich das schon mitbekommen und die nötigen Konsequenzen ziehn.

Allerdings hätte ich, als ich das Haus verließ und wieder in meinen Wagen stieg, gern jemanden gehabt, mit dem ich mich beraten konnte. Brinke vielleicht, der alles in allem ein anständiger Kerl war und nun als Inspektor in der ehemaligen Dienststelle saß. Ein bisschen pedantisch war er, übergenau und auch nicht der Mutigste. Damals, in den Auseinandersetzungen mit Mellheimer, als die Bilder von den Botschaftsbesetzern über die Mattscheibe flimmerten und ich mich gegen die Linie des Alten wandte, dass wir den Flüchtlingen »keine Träne nachweinen sollten«, machte Heinz Brinke zwar letztlich einen Rückzieher, versuchte zu lavieren, nachdem er zuerst mich unterstützt hatte. Ich stritt mich deswegen mehr mit ihm als mit dem Chef, und unser Abschied war einigermaßen frostig. Immerhin entschuldigte er sich aber bei einer späteren Gelegenheit bei mir. Und seine Art, bei der Arbeit lieber zweimal hinzugucken als etwas zu übersehen, hätte mir jetzt helfen können.

Auch Ingrid wäre ein guter Partner gewesen, jemand, dem man sein Problem darlegen konnte und der einen durch unfachgemäße Fragen vom Schemadenken abbrachte. Sechs Jahre hatten wir zusammengelebt, und vielleicht war es mein Fehler, dass mir eine Heirat nebensächlich schien. Eines Tages fiel mir auf, dass sie wieder regelmäßig zum Handballtraining ging, diesen Sport, den sie nach früheren Erfolgen fast aufgegeben hatte, plötzlich erneut heftig betrieb. Als ich merkte, dass es um ein anderes Spiel und um ihren Trainer ging, war es bereits zu spät. Es mochte sein, dass ich sie, nicht zuletzt auf Grund der ständigen Einsätze und Überstunden, vernachlässigt hatte, vielleicht war ihre Liebe zu mir auch ganz allgemein abgekühlt. Nichts zu reparieren, deshalb zogen wir es gar nicht erst in die Länge. Weh tat's trotzdem, Ingrid fehlte mir an allen Ecken und Enden. Und wenn's um knifflige Dinge ging wie bei meiner dicken Dame, konnte ich nur noch mit mir selber reden.

Ich fuhr zum nächstgelegenen Grenzübergang – erstaunlich, wie viele es jetzt schon gab –, parkte den Wagen auf der anderen Seite und suchte die erstbeste Telefonzelle auf. Mein Problem war es, die Adresse und den Namen einer gewissen Uschi in Zehlendorf herauszubekommen, die das Mädchen Jeanette als Rena Vorwegs Freundin bezeichnet und deren Telefonnummer sie mir gegeben hatte.

Diesmal hatte ich Glück, nach kurzem Tuten meldete sich eine Frauenstimme: »Hier Bellok.«

»Entschuldigen Sie, Frau Bellok«, sagte ich, »mein Name ist Krey, und ich möchte Fräulein Vorweg sprechen. Rena Vorweg aus Ostberlin.«
Ihr Zögern war deutlich spürbar. »Rena Vorweg ... aus Ostberlin ... Wieso rufen Sie da bei mir an?«
»Weil ich weiß, dass Sie eine Bekannte von ihr sind. Es ist wichtig.«
»Woher haben Sie meine Nummer?«
»Aus dem Telefonbuch«, erwiderte ich gelassen, »woher sonst.«
Sie hätte nun allerhand Fragen stellen können, zum Beispiel die, wer mir ihren Namen genannt hatte, um sie im Telefonbuch zu finden, und es war ja durchaus auch möglich, dass sie gar nicht im Verzeichnis stand. Doch nichts dergleichen geschah. Sie schwieg nur einen Augenblick lang, offenbar verblüfft über die Einfachheit meiner Auskunft. Dann sagte sie: »Rena ist nicht bei mir, ich könnte ihr höchstens eine Nachricht zukommen lassen. Wie war gleich Ihr Name?«
»Krey, Gunther Krey, ich müsste persönlich mit ihr sprechen.«
Es war klar, mein Name sagte ihr nichts. Ihre Stimme klang nun misstrauisch. »Tut mir leid, in diesem Fall kann ich Ihnen nicht weiterhelfen.«
»Wenn Sie mir sagen würden, wo ich sie erreichen ...«
»Wo? Na in ihrer Wohnung, drüben.« Und sie legte auf.
Ich hängte dennoch zufrieden den Hörer ein, ich hatte erfahren, was ich wollte. Im Telefonbuch suchte ich unter dem Namen Bellok die Nummer, die ich soeben angerufen hatte, und notierte die Adresse der Frau. Ich verließ die Zelle, setzte mich wieder in meinen Wagen, startete. Dann fuhr ich über den Stadtring und die Avus in Richtung Zehlendorf.
Manche Leute kennen kaum ihre nähere Umgebung, weil es sie in die Ferne zieht, bei mir war das anders. Wenn ich in

Zehlendorf ein Fremder war, dann aus den hinlänglich bekannten Mauergründen. Aber ich war bereit, mich weiterzubilden. Auf dem Stadtplan fand ich schnell die Straße; nicht ganz so schnell gelang mir das an Ort und Stelle. Dennoch gelangte ich zu dem Haus mit der entsprechenden Nummer. Es fügte sich in eine Front mit neueren Gebäuden ein, die mit ihren Balkonen und Vorgärten auf einen gewissen Komfort schließen ließen.

Ich rollte langsam an dem Haus vorbei, stellte den Wagen ein Stückchen weiter vorn ab und schlenderte zurück. Ein Golf mit Ostberliner Nummer stand zwischen einem Renault und einem Mercedes. Ich warf einen Blick hinein, ein Damenknirps lag auf dem Hintersitz. Nun ja, das Auto konnte sonstwem gehören.

Wie sollte ich vorgehen? Würde ich etwas über den Verbleib von Erik Iffka erfahren, wenn ich bei Ursula Bellok persönlich vorsprach? Ihr Name stand auf dem Klingelbrett, doch die Haustür war verschlossen. Würde sie mich überhaupt einlassen, wenn ich erklärte, wer ich war? Was aber konnte ich anderes tun? Abwarten, observieren, gewiss, das war möglich, war vielleicht sogar die beste Methode, zum Erfolg zu kommen. Wenn ich nur nicht selbst beobachtet worden wäre, aus dem Fenster gegenüber, von einer älteren Frau, die offenbar Langeweile hatte und gar nicht daran dachte, den Blick von mir zu lassen. Möglicherweise hielt sie mich für einen potenziellen Einbrecher, der das Gelände auskundschaften wollte. Jäh entschloss ich mich, drückte den Klingelknopf. Nach einigen Sekunden ertönte eine Stimme in der Wechselsprechanlage, die vom Telefon: »Wer ist da?«

»Gunther Krey, Frau Bellok, Privatdetektiv. Ich hatte Sie vorhin angerufen.«

»Sie noch mal? Sie sind Privatdetektiv?« Ihr Ton klang alarmiert.
»Keine Angst, ich beiße nicht. Kann ich mal kurz raufkommen zu Ihnen, am Telefon erklärt sich manches so schlecht.«
»Aber ich habe Ihnen doch gesagt, dass Sie Fräulein Vorweg hier nicht erreichen.«
»Vielleicht würde es uns beiden nützen, wenn ich mich mit Ihnen unterhalten könnte.«
Eine kurze Pause trat ein, ich dachte schon, sie würde mir endgültig einen Korb geben. Doch sie erwiderte: »Also meinetwegen. Wenn es unbedingt sein muss, kommen Sie hoch.«

Die Wohnung schien nicht groß zu sein, von einem winzigen Korridor gingen zwei Türen ab. Die junge Frau führte mich in eine Art Boudoir, das ihr anscheinend als Wohnzimmer diente, mit einem hohen Spiegel, Schminkzeug, einem weißen Kleiderschrank. Sie hatte wohl schnell noch etwas aufgeräumt, das aber nicht mehr ganz geschafft, Strumpfhosen schauten unter einem Sofakissen hervor, auf einem Stuhl stand ein Aschenbecher voller Kippen. Um den Zigarettenrauch zu vertreiben, öffnete Uschi Bellok das von Samtvorhängen umrahmte breite Fenster.
Sie selbst war groß, schlank, brünett und mit Glitzerschmuck behangen; der Lederrock kurz, der Pullover dagegen bis zum Hals geschlossen. Ihre Füße steckten in Goldpantöffelchen, ihre Beine in grauen, durchbrochenen Strümpfen. Leider hatte ich keine Zeit, sie länger zu betrachten, denn ohne mir einen Platz anzubieten, sagte sie: »Ein Detektiv, wie spannend. Was wollen Sie denn bloß von Rena? Waren Sie eigentlich schon drüben in ihrer Wohnung? Ich weiß wirklich nicht, wo sie steckt.«

»Zu Hause ist sie seit ein paar Tagen nicht gewesen. Sie soll mit einem Mann namens Erik Iffka zusammen unterwegs sein. Deswegen bin ich hier.«

»Iffka? Nie gehört. Wer behauptet das?«

»Seine Frau«, erwiderte ich. »Sie hat was gegen diesen Ausflug und will wissen, wo sich ihr Angetrauter aufhält.«

»Und die Frau dieses … dieses Iffka hat Ihnen meinen Namen genannt?«

»Aber nein, den hab ich selbst herausgefunden. Ist schließlich meine Arbeit.« Ich lächelte. »Man hat mir erzählt, dass Sie mit Rena befreundet und eine ehemalige Kollegin von ihr sind. Da lag der Gedanke nahe …«

Sie unterbrach mich. »Der Gedanke ist falsch. Ich hab Rena in der letzten Zeit selten gesehn. Sie haben sich leider ganz umsonst herbemüht.«

»Am Telefon meinten Sie, dass Sie ihr eine Nachricht übermitteln könnten.«

»Es ist schon möglich, dass sich Rena mal bei mir meldet«, sagte Ursula Bellok zurückhaltend.

Im Nebenraum knackte die Diele. Die junge Frau ließ nervös die Wimpern flattern und versuchte ein zweites Knacken zu übertönen, indem sie mit der Hand auf ihr Frisiertischchen klopfte. Ich tat, als hätte ich nichts gehört.

»Was soll ich ihr denn nun ausrichten?«

»Sagen Sie ihr« – ich ließ meine Blicke über den Aschenbecher gleiten, in dem Kippen mit verschiedenen Filtern lagen, und zwar offensichtlich frischen Datums –, »dass es ein Problem gibt. Ein paar Schläger haben Iffkas Frau in die Mangel genommen und sind jetzt hinter ihm her. Vielleicht auch hinter Rena. Deshalb wäre es besser, er würde sich schnell zu Hause melden. Oder bei mir.« Ich reichte ihr meine Visitenkarte.

Dann ging ich, ohne sie weiter in Bedrängnis zu bringen. An der Tür lächelte ich ihr noch einmal freundlich zu. Auf der Straße vergewisserte ich mich, dass sie mir hinter der Gardine hervor nachblickte. Ich stieg in den Wartburg und fuhr davon. Allerdings nicht weit. An der nächsten Ecke bog ich rechts ab, umkurvte das Karree, begab mich in Lauerposition. Ich stellte den Wagen so, dass ich den Hauseingang im Auge hatte, ohne selbst gesehen zu werden.
Ich wartete zehn Minuten, ich wartete eine halbe Stunde, nichts tat sich. Ich baute auf den Golf mit der Ostberliner Nummer, die zweierlei Kippen im Aschenbecher, das Knacken der Diele im Nebenraum. Sie war nicht allein gewesen; ich kombinierte, dass sie nach meinem Anruf von der Grenze die Vorweg informiert und dass Rena sie vielleicht aufgesucht hatte, um die Lage zu besprechen. Aber auch wenn im Nebenraum ein Freund von Ursula Bellok gewesen war oder gar Iffka selbst – die entsprechende Person hatte sich versteckt, und irgendetwas musste jetzt geschehen. Notfalls würde ich bis zur Nacht ausharren.
Ein etwa zehnjähriger Junge verließ das Haus, eine ältere Frau ging hinein, nach ihr ein junger Mann. Schließlich aber tauchten sie auf, es waren die beiden Freundinnen. Ich hatte Rena zwar nie gesehen, und die Beschreibung, nach der ich mich richtete, konnte auch auf andere zutreffen, dennoch zweifelte ich nicht. Die Figur, die Haarfarbe schienen dabei weniger wichtig als die Tatsache, dass sie gemeinsam herunterkamen, sich misstrauisch umschauten und dann in den Golf mit der Ostnummer stiegen. Rena setzte sich ans Lenkrad.
Sie fuhren los, ich, in der Hoffnung, sie weder aus den Augen zu verlieren noch von ihnen entdeckt zu werden, in einigem Abstand hinterher. Zum Glück mischten sich noch ein paar

andere PKW in den Verkehr. Über einige Nebenstraßen erreichten wir eine Magistrale in nördlicher Richtung. Es ging zügig voran; ich registrierte, dass wir den Grunewald durchquerten. Alles lief vorzüglich, sie schienen mich nicht zu bemerken, und es gelang mir sogar, sie wieder einzuholen, nachdem wir an einer größeren Kreuzung durch eine Ampel getrennt wurden.

Schließlich bog der Golf von der Hauptstraße ab, und ich ließ mich etwas zurückfallen. Der Wald war hier zu Ende, gepflegte Gartengrundstücke mit villenartigen Gebäuden reihten sich aneinander, und der Wagen vor mir hielt. Die beiden Frauen stiegen aus, machten sich nicht erst die Mühe, das Auto abzuschließen, strebten einem parkähnlichen Gelände zu. Ganz offensichtlich wollten sie zu einem Haus, dessen rotes Schindeldach hinter Buschwerk und einigen Birken zu sehen war.

Ich stellte den Wartburg ab, schlich, vorsichtig Abstand haltend, hinter den beiden her. Sie schauten sich nicht um, hegten wohl keinerlei Verdacht, dass ihnen jemand folgen könnte. Einmal zog Rena ein Taschentuch aus der Tasche ihres Mantels und putzte sich die Nase. Dabei flatterte ein grünlicher Zettel zu Boden, was die Frauen aber nicht bemerkten. Als ich die betreffende Stelle erreichte, hob ich das Papier auf – es war nur eine Reklame für irgendeine Imbissstube im Zentrum. Ungeachtet dessen steckte ich den handgroßen Zettel ein.

Wir hatten das Haus, das still dalag, fast erreicht. Einen Augenblick lang kam es mir vor, als hätten die beiden doch etwas bemerkt, denn Ursula Bellok drehte sich plötzlich um, sodass ich mich hinter einen Busch ducken musste. Aber ich blieb wohl einige Sekunden zu lange unten, denn als ich mich

vorsichtig wieder aufrichtete, waren sie verschwunden. Nirgends mehr zu entdecken, vom Gebüsch, von irgendwelchen Immergrünhecken verschluckt.
Ich war völlig verblüfft, ich hielt Ausschau, fragte mich, ob sie so schnell hatten ins Haus gelangen können, in dem sich vielleicht Erik Iffka befand, und hörte einen Augenblick zu spät das Geräusch hinter mir. Ein Rascheln, ein Knacken, einen Schritt. Jäh fuhr mir ein ungeheurer Schmerz durch den Schädel, jemand donnerte mir einen Knüppel, eine Eisenstange auf den Kopf. Eine Flamme zuckte vor meinen Augen, und ich stürzte zu Boden. Dann nahm ich nichts mehr wahr.

7

Ein weißes Gespinst um mich her, ein Lichtschimmer oben, hellgraue Schwaden, die über mir lagen, langsam zurückwichen – der mit Wolken bedeckte Himmel.
Zwei lang gezogene Fratzen beugten sich zu mir herab, verwandelten sich in Gesichter. Augen, Nasen, Münder: eine Frau, ein Mann. Sie sagten etwas, was ich nicht verstand.
»Was ist los, wo bin ich?«
Ich bildete mir ein, laut gesprochen zu haben, aber von meinen Lippen war wohl nichts als ein Säuseln gekommen, denn der Mann erwiderte: »Schon gut, strengen Sie sich nicht an. Ich rufe einen Arzt.«
Ein Arzt, was sollte das, die Bemerkung brachte mich endgültig zu mir. Mit einem Stöhnen, das ich unmöglich unterdrücken konnte, setzte ich mich auf. »Ein Arzt ist nicht nötig«, murmelte ich, »es geht schon. Wo bin ich eigentlich?«
»Sie befinden sich in der Nähe unseres Hauses. Mein Name ist Wittmann.«
Ich sah die Bäume, die Büsche und gar nicht weit entfernt einen Klinkerbau, dann das rote Hausdach, alles noch durch einen Schleier. »Haben Sie mir eins auf die Rübe gegeben?«, fragte ich dümmlich.
Die Frau lachte: ein jäh endendes Kichern. Der Mann erwiderte empört: »Na hören Sie mal, weshalb sollten wir so etwas tun? Sagen Sie uns lieber, wie Sie hierherkommen. Hat man Sie überfallen, wollten Sie zu uns?«
»Es scheint, dass man mich niedergeschlagen hat. Von hinten. Wo sind die beiden Frauen?«
»Welche Frauen, um Himmels willen?«, fragte der Mann zurück.

»Eine Schwarzhaarige und eine Brünette.« Ich versuchte meiner Stimme Festigkeit zu geben. »Aber das ist eine komplizierte Geschichte. Bei Ihnen wohnt nicht zufällig ein Ostberliner, so ein kleiner, schon älterer Kerl?«

»Wieso sollte er«, fragte die Frau erstaunt, und der Mann schüttelte den Kopf. Wenn die beiden nicht sehr gute Schauspieler waren, hatten sie bestimmt keine Ahnung von der Angelegenheit Iffka. Sie waren um die Fünfzig und eher bieder gekleidet, er in Wollhose und Hausjacke, sie in Rock und Blümchenbluse. Wie Leute, die andere mit einem Knüppel streicheln, sahen sie nicht aus.

»Ich hab einen Schrei gehört, und jemand rannte davon«, erklärte die Frau. »Dann sah ich Ihre Beine hinterm Gebüsch. Ich hab vielleicht einen Schreck gekriegt.«

»Sorry«, sagte ich, »im nächsten Leben werde ich mich um ein paar schönere Beine bemühen.«

»Immerhin machen Sie schon wieder Witze.«

»Haben Sie etwas von der Person gesehen, die weggerannt ist?«, fragte ich. »War es ein Mann oder eine Frau?«

»Ein Mann, glaube ich, aber eigentlich war's mehr ein Schatten. Da drüben ist er verschwunden.« Sie zeigte in Richtung Straße.

»Wie groß war er denn ungefähr, was hatte er an?«

»Das kann ich Ihnen beim besten Willen nicht sagen. Es ging alles so schnell«, erwiderte Frau Wittmann.

Ich erhob mich mit etwas Mühe, putzte mich ab.

»Und wer sind Sie?«, wollte der Mann wissen.

»Mein Name ist Krey, ich bin … Beamter. Bei der Wasserwirtschaft.« Etwas Besseres fiel mir nicht ein.

Mich als Beamten auszugeben war das Richtige, ich merkte es sofort. Die Frau forderte mich auf, erst mal mit ins Haus

zu kommen. Ich hätte Blut am Hinterkopf und könne so nicht weg. »Ich mache Ihnen das sauber«, fügte sie hinzu.
Sie wollten mich stützen, doch ich schaffte es allein. Riss mich zusammen und folgte ihnen. Im Korridor durfte ich mit Hilfe von zwei Spiegeln meinen Hinterkopf betrachten: eine Platzwunde, die aber nicht mehr blutete, nur geschwollen war alles, jede Berührung tat weh. Dennoch war ich noch glimpflich davongekommen.
Nachdem die Frau meine Wunde mit Jod behandelt und behutsam verpflastert hatte, brachte sie mir einen Imbiss: ein belegtes Brot und eine Tasse Kaffee. »Sie sollten sich trotzdem röntgen lassen«, sagte sie.
»Das werde ich tun, morgen.«
»Wohnen Sie in Berlin?«
»Nein, ich komme aus Hannover«, schwindelte ich.
Sie hatte mich in der Küche versorgt, der Mann, der uns gefolgt war, fragte: »Und was wollten Sie von diesem Ostberliner? Was waren das für Damen?«
Mir war klar, dass ich ihnen irgendeine Erklärung schuldete, nur – wo sollte ich die so schnell hernehmen. Ich musste etwas erfinden, das möglichst normal klang, erschreckt hatte ich sie genug. »Sie werden es mir nicht glauben«, sagte ich, »aber die Frauen, von denen ich sprach, haben mir das Portemonnaie gestohlen. Ganz frech, in einem Supermarkt. Ich bin ihnen mit dem Wagen hinterher, bis sie ihren Golf stehen ließen und auf Ihr Haus zurannten. Als ich ihnen folgen wollte, hat mir jemand eins mit dem Knüppel übergezogen. Wahrscheinlich hatten sie einen Komplizen.«
»Dieser Ostberliner? Woher wissen Sie von ihm, wenn Sie die beiden Frauen gar nicht kennen?«

»Ich hab sie mit ihm vor dem Supermarkt gesehen, bevor sie davonfuhren. Bestimmt ist er mir gefolgt.«
Ich merkte, sie hatten ihre Zweifel, besonders Herr Wittmann, und als ich mich nun eilig verabschiedete, hielten sie mich nicht zurück. Er blickte mir misstrauisch hinterher, nahm mir meinen vorgetäuschten Beamtenstatus gewiss nicht mehr ab. Hätte er von meinem Wartburg gewusst, wäre ich ihm noch weniger glaubwürdig vorgekommen.
Mit einem ziemlichen Brummschädel kehrte ich zum Wagen zurück. Der Golf war natürlich verschwunden, aber mein Auto stand friedlich und unberührt da, kein Reifen zerstochen, keine Scheibe eingeschlagen, nicht einmal der Seitenspiegel abgebrochen. Lediglich ein Blatt Papier klemmte unter dem rechten Scheibenwischer, ein schönes weißes Blatt Papier, mit dickem schwarzem Faserstift beschrieben. Ich zog es hervor, die Worte waren eilig hingekrakelt, die Botschaft dagegen klar. »Lass die Pfoten von dieser Sache, mein Junge, sonst quetschen wir sie dir ab.«
Eine gemütliche Botschaft, fürwahr; trotz der fast freundlichen Anrede konnte ich mich aber nicht dafür erwärmen. Eine Unterschrift fehlte, das wäre wohl auch zu viel verlangt gewesen. Ich las den Text zweimal durch, dann faltete ich das Blatt zusammen und legte es in meine Brieftasche. Es war immerhin eine Art Beweisstück und würde sich gut in meinem Aktenordner ausnehmen.
Ich schaute auf die Uhr, eine gute Stunde hatte ich in dieser Gegend zugebracht, die beiden jungen Damen und ihr »Beschützer« hatten sich längst verdrückt. Großartig, wie ich ihnen in die Falle gegangen war, zu dieser Leistung konnte ich mich wirklich beglückwünschen.
Das Fahren fiel mir nicht leicht, doch Laufen war kaum ange-

nehmer, und dann, was sollte meine brave Kutsche allein in dieser ungewohnten Umgebung. Wir beide mussten erst einmal nach Hause und neue Kräfte sammeln. Was mich betraf, so konnte mir eine Denkpause nicht schaden.

Ob mich wohl der schmalbrüstige Erik Iffka selbst mit einer Art Stuhlbein frisiert hatte? Oder mit einem Gummiknüppel? Bei Gelegenheit musste ich meine dicke Dame fragen, ob sie ihm eine solche Tat zutraute. Möglicherweise war aber auch ein Freund der schicken Uschi der Bösewicht. Die andere Partei, die beiden Geldeintreiber von Buchholz, kam für den Streich kaum in Frage.

Ich fuhr also quer durch Berlin zurück und suchte meine Wohnung auf. Mein ungeheiztes Büro schien mir wenig einladend, im Wohnzimmer dagegen, das mir gleichzeitig als Schlafraum diente, war noch vom Morgen her die Gasheizung angestellt, und ich fühlte mich gleich heimisch. Post gab es nicht, nur ein Werbeprospekt für eine Reise nach Rom – wenn man denen glauben konnte, waren die Bedingungen so günstig, dass man hinterher fast noch etwas herausbekam. Ich legte mich aufs Sofa, um über die Menschenfreundlichkeit dieses Angebots und des Reiseunternehmens nachzusinnen. Dabei schlief ich ein. Ich schlief kurz, aber tief. Als ich wieder wach wurde, fühlte ich mich besser. Mein Kopf schien keinen größeren Schaden genommen zu haben.

Ich hatte den Eindruck, dass ich mir in einigen Punkten Klarheit verschaffen sollte, und rief meinen ehemaligen Kollegen Brinke an. Zu Hause, in der Hoffnung, dass er weder im Dienst noch unterwegs war. Die Hoffnung erfüllte sich; wenngleich widerwillig, holte seine Frau ihn mir an den Apparat. »Wenigstens keiner von seiner Truppe«, sagte sie, »ich dachte schon, es wäre wieder ein Einsatz.«

Brinke selbst war eher mürrisch. Obwohl bisher im Amt geblieben, verkraftete er die ganzen Umstellungen schlecht.
»Ich hab Feierabend«, murrte er, »endlich mal. Komm mir nicht mit Arbeit.«
»Eine Kleinigkeit für dich, und mir würde es helfen.«
»Deine Kleinigkeiten kenne ich.«
»Iffka«, sagte ich ungerührt, »Erik und Dorothea. Ich wüsste gern, ob einer von den beiden im Strafregister erfasst ist. Und wenn ja, weswegen.«
»Das sind persönliche Daten, mein Lieber. Du weißt, die Zeit der Überwachung ist vorbei. Hast dich doch selbst besonders stark gemacht gegen die Bespitzelung.«
»Nun stell mal nicht alles auf den Kopf. Mir geht's nicht um Bespitzelung, sondern um polizeiliche Ermittlung. Oder willst du behaupten, das sei dasselbe.«
Brinke hütete sich natürlich, das zu behaupten, obwohl er so gut wie ich wusste: Beides lag mitunter nicht weit auseinander. Bockig wandte er ein: »Du bist nicht mehr bei der Kripo.«
»Aber diese Frau Iffka ist meine Klientin, und die Nachforschungen, die ich für sie betreibe, scheinen den gewöhnlichen Rahmen zu sprengen. Ich möchte gern über sie und ihren Mann Bescheid wissen.«
»Was heißt, den gewöhnlichen Rahmen sprengen?«, fragte Brinke argwöhnisch.
»Ihr Mann ist mit 'ner anderen durchgebrannt, und bei der Suche nach ihm hat man mir eins über den Schädel gegeben, das heißt es.«
Nun lebte er auf. »Was ist daran ungewöhnlich? Schließlich mischst du dich in die intimsten Angelegenheiten wildfremder Personen.«

»Es könnte noch etwas anderes dahinterstecken. Hilfst du mir nun oder nicht?«

»Na gut«, entschloss er sich, »ich werd sehen, was sich tun lässt.«

Ich hatte kaum aufgelegt, da klingelte es an der Tür. Ein blondes, leicht pummeliges Mädchen stand draußen. Sie trug Jeans und einen reichlich engen Pulli. Sie schaute mich erwartungsvoll an.

»Jeanette Nebentaler«, sagte ich überrascht, denn es war die junge Dame aus Rena Vorwegs Haus, »was treibt Sie denn hierher?«

»Wundern Sie sich nicht, dass ich Sie aufgestöbert habe?«

»Die Detektei Krey spricht sich anscheinend herum«, erwiderte ich.

»Ganz und gar nicht. Ich hab stundenlang Zeitungen durchgeblättert und schließlich Ihre Anzeige gefunden. Im Telefonbuch stehen Sie ja noch nicht.«

»Donnerwetter«, sagte ich, »da muss ich ja einen tiefen Eindruck bei Ihnen hinterlassen haben.«

»Eingebildet sind Sie gar nicht, was? Darf ich reinkommen?«

Ich ging mit ihr ins Büro, und sie blickte sich neugierig um. Außer ein paar bunten Drucken an den Wänden war hier allerdings nichts Auffälliges zu entdecken. »Sie haben ja gar keinen Computer«, bemängelte sie.

»Ein Computer kommt später, im Augenblick geht es noch so.«

»Und Ihr Archiv, ist das in dem Rollschrank?«

»Genau. Sie haben's erraten.«

Ihr Blick glitt über Stuhl und Sessel. »Wohnen Sie hier?«

»Nebenan. Kann ich Ihnen etwas zu trinken anbieten?«

»Meinetwegen, 'ne Cola.«

Ich hatte keine Cola im Haus, nur Bier und eine Flasche Apfelsaft. Sie akzeptierte den Saft. Erst als ich in die Küche ging, um das Getränk zu holen, bemerkte sie das Pflaster an meinem Kopf. »He, haben Sie etwa eins abgekriegt?«

»Kleiner Betriebsunfall, nicht so schlimm.«

»Hängt das mit dem Mann zusammen, den Sie suchen, und mit Rena?«

»Kann sein«, erwiderte ich, »aber jetzt möchte ich gern wissen, weshalb Sie hier bei mir sind.«

»Wolln wir nicht anstoßen und das blöde Sie weglassen? Wir kennen uns doch schon ganz gut.«

Ich hatte nichts dagegen. Ich goss mir gleichfalls Apfelsaft ein und stieß mit ihr an. »In Ordnung, Jeanette, ich heiße Gunther, aber meine Freunde sagen einfach Krey zu mir. Also, weshalb bist du hergekommen?«

Sie platzierte ihr Hinterteil auf der Kante meines Schreibtischs und wippte mit dem Fuß, der in einem schwarzen lackierten Schuh steckte. Sie war richtig hübsch, und ihr Pulli in der Tat reichlich eng. Sie lächelte mich fröhlich an. »Wegen der beiden Kerle, Krey«, sagte sie.

»Was für Kerle?«

»Heute Morgen, noch bevor ich zur Arbeit ging. Ihretwegen bin ich zu spät gekommen. Sie tauchten auf, klingelten bei Rena, genau wie du gestern. Und genau wie du landeten sie bei mir, wollten alles Mögliche erfahren. Als sie mich fragten, ob ich so einen kleinen mageren Mann bei ihr gesehen hätte, wusste ich, worum es sich handelt. In die Wohnung hab ich sie aber nicht gelassen.«

»Wie sahen die Kerle denn aus?«, fragte ich gespannt.

»Wie sie aussahen? Na, wie zwei Opas in mittlerem Alter. Hatten bestimmt zehn Jahre mehr auf dem Buckel als du.

Der eine klein, mit 'nem roten Gesicht und dicker Nase. Der andere mit 'nem Pflaster wie du. Bloß dass er's auf der Backe hatte.«

Es waren eindeutig die beiden »Opas«, die meine dicke Dame vertrimmt hatten. Auch sie verfolgten also die Spur, die zu Rena Vorweg führte. Von Eriks Verhältnis mussten sie schnell erfahren haben, denn es sah so aus, als wären sie nach dem Besuch bei Frau Iffka direkt zu Rena gefahren, und die Dicke kannte ja angeblich weder den Namen noch die Adresse des Modells. Auch wenn sie immer nur die Hälfte verriet, es gab keinen Grund, mich in diesem Punkt zu beschwindeln.

»Hast du den Kerlen die Telefonnummer gegeben? Du weißt schon, die bewusste in Westberlin?«

»Hältst du mich für bescheuert? Natürlich nicht. Abgesehen davon, dass die beiden völlig hohl aussahen, war das bei dir die absolute Ausnahme.«

»Danke«, erwiderte ich ehrlich bewegt. »Du hast ihnen hoffentlich auch nichts von mir erzählt.«

»N … nein. Das heißt, ein bisschen was schon. Sie sollten sehen, dass sie nicht die Einzigen sind, die diesen Mann suchen. Aber ich hab keine Namen genannt, bloß erwähnt, dass bereits jemand da war.«

»Und wie haben sie reagiert?«

»Sie wollten mehr wissen. Ich sollte dich beschreiben. Hab ich auch gemacht. Aber so, dass sie dich unmöglich erkennen würden. Ich hab die Spuren verwischt.«

»Ich sehe, ich besitze eine Verbündete«, sagte ich. »Trotzdem wär es mir lieber, du hättest mich gar nicht erst erwähnt.«

»Was ist denn mit dem Mann los, den ihr sucht? Ist er ein Gangster?«

»Das nicht, aber er scheint Schulden zu haben. Möglicherweise bei den beiden. Falls sie noch mal auftauchen sollten, mach am besten gar nicht auf. Die zwei sind gefährlich.«

»Kennst du sie etwa?«

»Ich hab von ihnen gehört«, erwiderte ich.

Sie rutschte vom Schreibtisch herunter. »Hast du eigentlich Renas Freundin erreicht?«

»Ja, hab ich. Aber angeblich weiß sie von nichts. Ich tappe im Dunkeln. Na, was soll's, in meinem Beruf ist das mitunter so.«

»Was meint sie dazu, dass du Renas Nummer von mir hast?«

Ich antwortete: »Jetzt hältst aber du mich für bescheuert. Du glaubst doch nicht im Ernst, dass ich das verraten hätte.«

8

Ein zweiundzwanzigjähriges Mädchen, das zu abendlicher Stunde einen Mann Mitte der dreißig besucht, ist nicht unbedingt gegen Zärtlichkeit und Hautkontakt, das sagte ich mir, als uns der rein geschäftliche Gesprächsstoff ausgegangen war und sich die Frage erhob, wie wir weitermachen sollten.

»Würdest du mal mit mir ausgehn?«, wollte sie wissen.

»Etwa in die Disco? Heute Abend? Ein Opa wie ich?«

»Muss ja nicht die Disco und heute Abend sein. Und so alt siehst du gar nicht aus.«

Aus ihrem Mund war das ein Kompliment, das ich zu schätzen wusste. Ich nahm sie am Arm und zog sie in die Küche.

»Ich denke, wir essen jetzt mal was.«

»Hast du keine Frau, die dir etwas zu essen macht?«

»Und wenn ich eine hätte? Eine Freundin, die nachher vorbeikommt?«

»Damit muss der Mensch rechnen«, erklärte sie philosophisch.

Ich bereitete ein Abendbrot mit Eiern, Wurst, Käse, und sie brachte allerhand Ideen ein, um es zu bereichern. Dabei verwandte sie Magerquark, ein Stück grüne Gurke und Zwiebeln, Dinge, die sich bei mir mehr zufällig fanden. Mal nicht allein zu essen machte Spaß, war für mich im Augenblick direkt ein Luxus. Wir redeten von den Veränderungen, die sich in schnellem Tempo vollzogen, von ihren Eltern – sie wollten in Kürze ein Geschäft mit Lederwaren eröffnen –, von einem Freund, der nach Kiel gegangen war, und von einem anderen, dessen Vater sich umgebracht hatte. Gegen zehn erhob sich die Frage, ob sie gehn oder mit mir schlafen sollte. Das Zweite wäre uns beiden angenehm gewesen, doch das Erste wurde getan. Menschen sind manchmal so.

Ich brachte sie mit dem Wagen bis zu ihrem Haus und verabschiedete mich dann.
Am nächsten Morgen unter der Dusche, danach, als ich meine Wunde pflegte, und auch während des Frühstücks ließ ich den vorherigen Tag Revue passieren. Vor allem die Geschehnisse in Westberlin. Eins war klar, die beiden Frauen, die ich für so naiv gehalten hatte, sich von mir verfolgen und beobachten zu lassen, für so einfältig, mich zu Erik Iffka zu führen, hatten im Gegenteil mich hereingelegt. Sie hatten ihr Netz ausgespannt, in das ich blind geflutscht war. Während ich in der Straße der Bellok gewartet hatte und mir dabei wunder wie schlau vorgekommen war, hatten sie wahrscheinlich oben mit ihrem Komplizen telefoniert. Denn in einem Punkt hatte ich mich ja nicht geirrt: Rena war in der Wohnung gewesen, als ich mit ihrer Freundin gesprochen hatte. Entweder hatte sie sich dort schon bei meinem Anruf von der Grenze aus aufgehalten und nur verleugnen lassen, oder sie war gleich danach eingetroffen, vielleicht benachrichtigt worden. Als ich dann, für sie überraschend, persönlich auftauchte, hatten die beiden offenbar den Plan gefasst, mir eine Lektion zu erteilen. Sie wollten nicht, dass ich mich in ihre Angelegenheiten mischte. Und sicher war auch, dass es sich bei dieser Angelegenheit um mehr handelte als um ein Liebesabenteuer.
Der Komplize musste mir seinerseits mit dem Wagen gefolgt sein, mich ständig im Blick gehabt haben, während dagegen ich ihn nicht bemerkte. Ich hatte ja nur nach vorn gestarrt, um den Golf mit der Ostberliner Nummer nicht aus den Augen zu verlieren. Später dann, im Park, war ich den Frauen hinterhergeschlichen und der Kerl mir. Möglich war allerdings auch etwas anderes: dass sie nämlich ihn dorthin

bestellt hatten, weil sie sich in der Gegend einigermaßen auskannten. Im Gegensatz zu mir.
Ich ging meine nächsten Schritte durch. Ich konnte erneut zu Ursula Bellok fahren, um sie – diesmal mit mehr Geschick – zu beobachten oder direkt unter Druck zu setzen. Das Erste war bestimmt langwierig, das Zweite nicht sehr Erfolg versprechend. Eher würde ich mir weiteren Ärger einhandeln. Also zog ich es vor, erneut die dicke Dame aufzusuchen. Vielleicht hatte meine Botschaft an Rena Vorweg trotz allem gefruchtet und Erik sich inzwischen gemeldet. Ich schloss die Wohnung ab und machte mich auf den Weg. Aber ich traf Frau Iffka nicht zu Hause an.
Auf mein Kling-Klong kam, wie schon am Vortag, niemand zur Tür, und Klopfen half genauso wenig. Ich ging auf den Hof; der Sägebock stand noch da, doch ich traute mich diesmal nicht, ihn unters Schlafzimmerfenster zu setzen, denn laute Musik schallte aus einem oberen Fenster, und ein Mann mit birnenförmigem Kopf schaute heraus. Er hatte eine Pfeife im Mund, aus der er Rauchwolken in die ohnehin mit Rauch angereicherte Luft paffte.
»Guten Tag«, rief ich, um den Lärm zu übertönen. »Ich wollte zu Frau Iffka, sie scheint aber nicht da zu sein. Haben Sie eine Ahnung, wo sie hingegangen ist?«
»Was ist los?«, fragte der Alte, der offenbar schwerhörig war und bei der Beatbeschallung erst recht nichts verstand.
»Ich möchte Frau Iffka besuchen. Wissen Sie, wo sie sein könnte?«
»Die Iffka ist nicht zu Hause.«
»Das hab ich gemerkt«, schrie ich, »auf mein Klingeln und Klopfen hin hat sich niemand gemeldet. Wo kann ich sie eventuell erreichen?«

»Keine Ahnung, vielleicht im Garten.«
»Frau Iffka hat einen Garten? Wo ist das?«
»Einen Augenblick«, schrie der Mann zurück. Er verschwand vom Fenster, und kurz darauf verstummte die Musik. Als er zurückkam, sagte er: »Bei der Musik heutzutage versteht man sein eigenes Wort nicht.«
Ich rief: »Warum haben Sie das Radio dann so laut aufgedreht?«
»Schreien Sie doch nicht so«, erwiderte der Alte, »ich bin nicht taub. Weshalb sollen immer bloß die andern Krach machen.« Er klopfte auf dem Fensterstock seine Pfeife aus, dass die Funken sprangen.
»Wo befindet sich der Garten von Frau Iffka?« Ich schraubte meine Stimme auf Normalton zurück.
»Irgendwo im Norden. Bergholz oder Oranienburg. So genau weiß ich das nicht.«
»Kann mir vielleicht jemand anders im Haus Auskunft geben?«
»Ja, meine Frau, aber die ist einkaufen, kommt erst in einer Stunde zurück.«
»Dann werd ich in einer Stunde noch mal vorbeischaun«, erwiderte ich, nickte ihm kurz zu und ließ ihn mit seiner Pfeife allein.
Ich erledigte einige Lebensmitteleinkäufe – es war die Zeit, da Ost- und Westprodukte noch brav nebeneinander in den Regalen der Kaufhallen lagen: die einen billig, die anderen für meine Begriffe zu teuer, doch auf Grund vor allem der Werbemacht ihrer Anbieter unaufhaltsam auf dem Vormarsch. Als ich die Sachen im Kofferraum verstaut hatte, war erst eine halbe Stunde vergangen. Vielleicht kehrte die Frau des Pfeifenrauchers eher nach Hause zurück, vielleicht aber auch

später – plötzlich hatte ich keine Lust mehr, auf sie zu warten. Ein grünlicher Zettel, den ich gestern bei meiner Verfolgung gefunden und in die Jackentasche gestopft hatte, geriet mir in die Hände, die Reklame für eine Imbissstube. Ich wurde durch die Adresse angelockt. Sie mochte keinerlei Bedeutung haben, aber konnte man es wissen? POMMS POMMES SHOP – mit Faserstift unterstrichen. Die Gegend, in der sich die Lokalität befand, war ziemlich exklusiv, würde zur Bellok und zur Vorweg passen. Weniger zu Herrn Iffka, doch da er das nötige Kleingeld zu besitzen schien ... Man konnte sich auf jeden Fall dort umsehen, ein wenig herumfragen. Ich überlegte nicht mehr lange, ich änderte meinen Plan und fuhr erneut hinüber, lenkte meinen Wagen in Richtung Kurfürstendamm.

Ich fand eine Parkstelle, die mich kein Geld kostete, lief ein Stück zurück, überquerte die Straße, bog in eine zweite ein und stand vor der gesuchten Imbissstube. Draußen auf dem Trottoir befand sich infolge des heute heiteren Wetters bereits ein weißlackierter Tisch nebst Stühlen; im hohen Fenster, hinter dem sich Gardinen kräuselten, las man Werbung für Frites, aber auch für Frankfurter Würstchen, Hot-Dogs, Pizzas und Kartoffelsalat. Drinnen, in einem schmalen, sauberen Raum, befand sich eine Speisenbar. Ein einzelner Gast saß an einem der hinteren Tische – immer wieder fiel der Unterschied zu unseren Restaurants ins Auge. Hier ein umfangreiches Angebot, schnelle, freundliche oder zumindest korrekte Bedienung, aber gepfefferte Preise und kaum Gäste. Dort kaum ein freier Platz, Nachlässigkeit, mitunter auch Unverschämtheiten der Bedienung, die überfordert war; die Auswahl an Gerichten bescheiden, doch innerhalb dieses Rahmens leistete sich fast jeder, was er wollte.

Ich bestellte eine Tasse Kaffee, das Einzige, was ich meinem selbstgenehmigten Westbudget zumuten mochte. Zwar rasten wir mit Volldampf auf die Währungsunion zu, aber noch hatten wir sie nicht. Dann setzte ich mich in die Ecke am Fenster. Um mir Haltung zu geben, steckte ich mir eine Zigarette an. Danach harrte ich der Dinge, die da kommen sollten.

Es kam nichts, wenn man von einem Betrunkenen absah, der ein Bier verlangte und mit dem Kellner an der Speisenbar ein Gespräch über Bouletten begann. Sie brutzelten einladend in einer Pfanne, der Gast lobte sie, bestellte allerdings kein Stück. Nachdem ich eine Weile ihn und dann ausgiebig den Raum betrachtet hatte, die Wandtäfelung, einige Zeichnungen rechts, ließ ich den Blick nach draußen schweifen, auf und über die Straße. Der übliche rege Verkehr von Fußgängern und Fahrzeugen. Auf der gegenüberliegenden Seite eine Reihe Geschäfte: Schmuck, Textilien, eine Schuhboutique. Über der Schuhboutique aber, ein Stockwerk höher, leuchtete groß eine Flimmerinschrift: »Modeatelier Constanze«.

Ein Modeatelier – warum nicht, gerade in diese Gegend passte es ausgezeichnet. Und wo so eine Schneiderwerkstatt ist, braucht man auch Mädchen, welche die Garderobe anprobieren.

»Die Leute aus dem Atelier da drüben, sind das gute Kunden von Ihnen?«

Der freundliche Keeper tat, als habe er nichts gehört, und als ich meine Frage wiederholte, murrte er: »Kann schon sein, dass jemand von dort mal ’ne Boulette bei mir bestellt. Warum wolln Sie das wissen?«

»Nur so. Ich interessiere mich für zwei junge Damen.«

»Gleich für zwei? Sie sind gar nicht bescheiden.«

»Für eine Schwarze und eine Brünette. Beide ziemlich attraktiv«, beharrte ich.
Er zuckte die Achseln. »Attraktive Damen gibt's hier 'ne Menge.« Dann wandte er sich wieder seinen Frites zu.
Ich überlegte, ob mich fünf Mark West weiterbringen würden, schätzte die Chance aber gering ein. Mehr zu opfern, war ich nicht bereit. Schon wollte ich meinen Kaffee zahlen und aufbrechen, da sagte der Keeper zu meiner Verblüffung: »Komisch, gestern haben sich zwei andere Kerle gleichfalls nach 'ner Schwarzhaarigen und 'ner Brünetten erkundigt. Vielleicht meinen Sie dieselben.«
»Was für andere Kerle?«
»Na, zwei Männer eben. Hab sie nicht nach dem Namen gefragt.«
Nun zückte ich doch meinen Fünfer. »Und was haben Sie denen geantwortet?«
Der Keeper schaute etwas geringschätzig auf meinen Schein, nahm ihn aber. »Dass die Mädchen manchmal am Nachmittag hier auftauchen. Vielleicht sogar heute.«
Was die »Kerle« anging, so hatte ich meinen Verdacht, wollte mich aber nicht selbst verdächtig machen und unterließ weitere Fragen. Die wenigen Gäste im Raum stellten ohnehin die Lauscher auf.
Ich beglich meine bescheidene Rechnung und ging, schlenderte zum Kudamm hinüber, strömte mit der Menge dahin, durch eins der großen Kaufhäuser. Am Bahnhof Zoo standen die Geldhändler, hatten große Bündel von Hundertmarkscheinen Ost in den Händen und versuchten für einen Kurs von 4:1 Westkunden zu ködern. Ein Unternehmen, das durchaus erfolgreich war, denn die niedrigen Gaststätten- und Lebensmittelpreise drüben lockten. Die Burschen,

die da herumlungerten und durch deren Finger täglich Zehntausende glitten, verdienten ein bisschen mehr als ich, selbst wenn es mitunter eine Razzia gab, das war schon klar.
Gegen drei kehrte ich zu »Pomms Pommes-Shop« zurück und bemerkte schon von weitem vor dem Schuhladen auf der anderen Straßenseite die beiden Männer, auf die eine ganz bestimmte Beschreibung passte. Der eine war untersetzt, hatte ein rotes Gesicht und eine dicke Nase, der andere größer, schlanker, schwarzhaarig. Auf die Entfernung konnte man nicht sehen, ob seine Wangen eine Schramme aufwiesen, doch gab es für mich keinen Zweifel, dass es sich um Ecke handelte. Er schien der Elegantere von beiden zu sein und bestimmte wahrscheinlich, was gemacht wurde.
Die Kerle lümmelten in der Nähe des Hauseingangs herum, der zum »Atelier Constanze« führte, behielten ihn im Blick. Dabei taten sie so unbeteiligt wie zwei Ochsen, die aufs Futter gieren.
Ich verspürte Hunger und überredete mich nach kurzem inneren Kampf zum Verzehr einer Boulette. Betrat erneut die Imbissstube und setzte mich an den schon angestammten Platz am Fenster. Die Gäste hatten gewechselt, doch waren es nicht mehr geworden.
Es dauerte eine Weile, bis das Erwartete eintraf und im Hauseingang neben dem Schuhgeschäft eine junge Dame auftauchte. Eine, nicht zwei – es handelte sich um Ursula Bellok, die groß gewachsene Brünette. Sie stand einen Augenblick lang unschlüssig auf dem Trottoir, blinzelte in die Sonne. Ich konnte beobachten, wie der Blick der beiden Schlagbolzen auf ihrer einprägsamen Gestalt verweilte, offenbar aber mehr aus männlichem Interesse. Eines war klar, dieses Mädchen nahmen sie nicht für voll, sie warteten vor allem auf Rena.

Plötzlich winkte Ursula Bellok und lief quer über die Straße direkt auf die Imbissstube zu. Vor deren Tür nun unvermutet die Vorweg stand. Sie musste aus einer anderen Richtung gekommen sein.
Ecke und sein Kumpan schienen Rena gleichfalls erst jetzt zu bemerken. Sie schauten herüber und rührten sich zunächst nicht vom Fleck. Die Damen ihrerseits schenkten ihnen keine Beachtung. Sie begrüßten sich kurz und öffneten die Tür zum Lokal. Da ich in der Fensterecke saß, entdeckten sie mich zunächst nicht. Sie nickten dem Burschen an der Bar zu und bestellten »das Übliche«.
Dann steuerten sie den Nebentisch an, und nun trafen sich unsere Blicke. Ich stellte fest, dass mir die Überraschung gelungen war. Einen Moment lang standen sie da wie in Marmor gehauen.
»Guten Tag, Frau Vorweg«, sagte ich, »guten Tag, Frau Bellok. Was für ein Zufall, dass wir uns hier begegnen. Nehmen Sie doch Platz.«
Ursula Bellok wollte sich zur Flucht wenden, doch die Vorweg, kaltblütiger, hielt sie am Arm fest. »Mach kein Aufsehen«, zischte sie, »setz dich.«
Sie setzten sich tatsächlich, und zwar an meinen Tisch. Die Bellok widerstrebend. Rena flüsterte: »Warum lassen Sie uns nicht in Ruhe?«
»Ich gebe Ihnen im Gegenteil Ihre Ruhe wieder. Indem ich Ihnen beweise, dass ich noch am Leben bin.«
Ursula Bellok, offenbar mit schlechtem Gewissen, starrte vor sich auf den Tisch. Rena dagegen sagte: »Ach, machen Sie die Sache nicht schlimmer, als sie war. Das haben Sie sich alles selbst zuzuschreiben. Was spionieren Sie hinter uns her?«
»Ich weiß nicht, ob das ein Grund ist, jemanden fast

umzubringen. Aber gut, da ich's einigermaßen überstanden habe …« Und zu Uschi Bellok: »Haben Sie Ihrer Freundin meine Botschaft ausgerichtet?«

»Welche Botschaft?«, wollte Rena wissen.

»Die über Erik Iffka. Dass er nach Hause kommen soll, zu seiner Frau. Doch was frage ich, Sie haben das gestern in Uschis Wohnung ja bestimmt alles mit angehört. Laut genug haben wir gesprochen.«

»Erik geht nicht nach Buchholz zurück, er hat die Nase voll von dieser Vettel. Sie erfährt übrigens auch nicht, wo er steckt.«

»Muss das eine Liebe sein«, sagte ich spöttisch und dachte: Immerhin ist klar, dass er sich noch in Westberlin aufhält.

Rena zuckte verächtlich die Achseln. »Und jetzt haben wir genug geredet. Wir suchen uns einen anderen Tisch.«

Sie wollte sich erheben – ihre Freundin war sowieso auf dem Sprung. In diesem Moment aber tauchten die beiden Schlagbolzen vor der Imbissstube auf und sahen durchs Fenster. Sie wollten wohl erst die Lage peilen.

»Eine Sekunde«, sagte ich und packte Renas Hand. »An eurer Stelle würde ich gerade jetzt nicht auf männlichen Schutz verzichten. Da kleben zwei mit ihren Nasen an der Fensterscheibe, die ganz gierig auf Erik sind. Ich hatte sie gestern schon erwähnt.«

Es war nicht klar, ob Rena den Kerlen bereits früher begegnet war. Auf jeden Fall schienen ihr die Gesichter der beiden zu missfallen. Sie brachte ein ganz gewöhnliches »Scheiße« über die Lippen.

»Die da?«, flüsterte die Bellok. »Was wollen die von uns?«

Die Kerle draußen wichen von der Scheibe zurück. Sie wirkten unentschlossen, machten keine Anstalten, hereinzukommen. Anscheinend hatten sie Zeit.

»Ich sagte schon, sie treibt das Verlangen nach Erik Iffka. Sie werden euch ein wenig mit den Fäusten streicheln wollen, damit ihr sie zu ihm führt.«
Der Kellner, der, wie's schien, von alldem nichts bemerkt hatte, brachte die Speisen. Rena blieb sitzen und fing zu essen an. Ihre Kaltblütigkeit war wirklich bewundernswert. »Greif zu«, sagte sie zu ihrer Freundin, »hier drinnen können sie uns gar nichts.«
»Vielleicht sollte ich lieber Pat anrufen«, erwiderte Ursula Bellok, ohne ihre Gabel in die Hand zu nehmen.
Dass sie diesen Namen erwähnte, war Rena nicht recht. »Unsinn«, sagte sie hart, »es würde viel zu lange dauern, bis er hier ist.«
»War es Pat, der mir eins über den Schädel gegeben hat?«
Ein freundliches, geradezu verführerisches Lächeln lag jäh auf Renas Gesicht. Zwar bekam ich keine Antwort auf meine Frage, doch sie flötete: »Sie könnten uns helfen.«
»Na so was.« Mein Staunen war echt.
»Hier gibt's einen Hinterausgang. Wenn Sie die beiden da draußen für einen Augenblick ablenken, sind wir weg.«
Das hatte sie sich hübsch ausgedacht. Sie und ihre Freundin über alle Berge, ich dagegen mit den beiden Schlägern auf den Fersen. Wirklich großartig!
»Ich hab dabei ja auch gar nichts zu verlieren!«
»Ihnen werden sie nichts tun. Sie wissen ja nichts.«
Ich machte mich über meine Boulette her, ich brauchte unbedingt eine Stärkung. Stopfte auch die Pommes frites in mich hinein, die dazugehörten. Dann sagte ich: »Möglich, dass sie mir nichts tun, obwohl ich mir da nicht so sicher bin. Doch wenn ich Ihnen helfen soll, kostet das etwas. Wie alles in der Marktwirtschaft. Einige Auskünfte, die mir fehlen.«

Gerade wollte Rena zu einer Entgegnung ansetzen, da geschah das Überraschende. Auf der gegenüberliegenden Straßenseite zeigte sich ein Mann, den ich nach dem Foto von meiner dicken Dame sofort zu identifizieren vermochte. Trotz der anderen Kleidung. Klein war er, mager und hatte ein schmales Gesicht. Erik Iffka. Uschi Bellok hatte ihn gleichfalls gesehen und stieß Rena an. Zumal der Mann sich anschickte, die Fahrbahn zu überqueren.

»Was will diese Figur denn ausgerechnet jetzt hier«, zischte Rena keineswegs liebevoll.

Die beiden draußen – sie hatten sich demonstrativ an den Tisch vor dem Lokal gesetzt und warteten ab – bemerkten Erik in diesem Augenblick gleichfalls. Die Knollennase sprang so abrupt auf, dass einer der weißen Stühle zu Boden krachte. Iffka seinerseits nahm noch keine Notiz von ihnen. Er wurde durch den Autoverkehr abgelenkt, suchte nach einer Lücke, um über die Straße zu gelangen.

Nun federte auch Ecke hoch, setzte sich in Bewegung. Lediglich ein vorbeibrausender Doppelstockbus stoppte ihn für Sekunden.

Rena hielt es nicht mehr auf ihrem Platz. Mit zwei Sätzen war sie an der Tür, riss sie auf und schrie: »Hau ab, Erik, hau ab!«

Ecke stieß einen Fluch aus und stürzte sich tollkühn in die Autoflut auf dem Fahrdamm. Die Knollennase folgte ihm.

Die Gäste in der Imbissbude schreckten auf, und der Kellner an der Speisenbar ließ ein Bierglas in den Kartoffelsalat fallen. Ein Bierglas, frisch gefüllt mit schäumendem Gerstensaft.

Ursula Bellok hatte sich erhoben. Ich sprang nun ebenfalls auf und rief dem Kellner zu, dass die Damen die Rechnung übernehmen würden – leider war sie bescheiden: Man ist nie voraussehend genug. Dann stürmte ich an Rena vorbei auf

die Straße. Die beiden Kerle verfolgten Iffka, der die Lage inzwischen begriffen hatte und Fersengeld gab. Ich rannte hinter den dreien her.
Die Knollennase war langsam und ungeschickt, wäre fast von einem Mercedes erwischt worden. Nachdem der Mann endlich zum jenseitigen Trottoir gelangt war, geriet er sofort wieder in Schwierigkeiten, weil er eine Frau anrempelte, die einen mittelgroßen Hund an der Leine führte, eine Promenadenmischung. Der Hund, in seiner Beschützerehre verletzt, fasste ihn am Hosenbein.
Erik Iffka war schnell, aber sein Vorsprung zu knapp. Ecke war noch schneller. Er hatte den Flüchtigen beinahe erreicht, griff bereits nach ihm.
Es gelang mir, den Fahrzeugstrom unbeschadet zu durchqueren und die Knollennase hinter mir zu lassen. Die beiden anderen holte ich ein, als Ecke Erik am Schlafittchen zu packen bekam. Iffka sah schon leicht verbeult aus.
Ich erreichte den Schwarzhaarigen und schleuderte ihn zur Seite; er war völlig überrascht. Eigentlich war ich den Männern nachgerannt, um meine Vermittlung anzubieten, doch dazu blieb keine Zeit. Plötzlich hatte Ecke ein Messer in der Hand, und ich wusste, dass ich nicht auf halbem Weg stehen bleiben durfte. Meine Fußspitze traf sein Handgelenk, gerade als die Klinge nach vorn zuckte. Sie wirbelte durch die Luft, klirrte aufs Trottoir. Die Leute brachten sich erschrocken in Sicherheit.
Ecke stieß einen wütenden Schrei aus und versuchte mir gegen das Schienbein zu treten, doch ich hieb ihm die Faust unters Kinn, sodass er zu Boden ging. Zur rechten Zeit, denn inzwischen war die Knollennase heran, stürzte sich auf mich. Zum Glück konnte ich zur Seite wegtauchen, wie wir's früher

im Boxtraining geübt hatten. Jäh befand ich mich hinter ihm, hatte keine Mühe, ihn mit einem Tritt ins Hinterteil an die Hausmauer zu schicken. Dann sah ich mich nach dem Ehepartner meiner dicken Dame um. Doch der hatte das Weite gesucht, verschwand soeben in einer U-Bahn-Unterführung. Es war nicht meine Absicht, ihn entkommen zu lassen, ich spurtete hinter ihm her. Die Treppe hinunter, an verblüfften, aufgeschreckten Menschen vorbei. Ich erreichte den letzten Wagen der abfahrenden Bahn, in die er weiter vorn eingestiegen war. Zwei Stationen später verließ er den Zug wieder und rannte auf einen Übergang zu. Erneut folgte ich ihm, verlor ihn aber aus den Augen. Als ich auf dem Umsteigeperron ankam, war er nirgends mehr zu entdecken. Auf gut Glück wandte ich mich zu einem der Ausgänge, doch vergeblich. Iffka war mir entwischt.

Ich war ziemlich wütend, beruhigte mich aber bald, denn ich sagte mir, dass es keinen Grund zur Aufregung gab. Die dicke Dame hatte mir ja nicht den Auftrag erteilt, ihren Mann einzufangen. Gut, ich hatte seine Adresse noch immer nicht herausgefunden, und sowohl er als auch Rena Vorweg waren jetzt vor mir gewarnt. Dennoch hatte ich einige Steine zusammengetragen. Ich konnte auf Uschi Bellok verweisen, wusste von einem »Modeatelier Constanze« und von einer Imbissstube, wo man vielleicht mehr erfuhr. Ich hatte für mein Geld eine Menge geleistet. Und dass ich Erik den Händen der beiden Schlagbolzen entrissen hatte, war eine gute Tat, die meine Klientin trotz allem Zorn auf ihren Mann letztlich auch anerkennen musste.

9

Am nächsten Tag half ich meiner Mutter beim Umräumen der Wohnung. Auch sie hatte sich von dem Drang anstecken lassen, für ihr DDR-Geld noch etwas zu kaufen, bevor es endgültig verfiel, und nach Weihnachten ihre kleine Behausung mit allerlei Möbeln vollgestopft. Da sie sich nicht entschließen konnte, Altes wegzuwerfen, lebte sie seit einigen Wochen in beängstigender Enge. Ich hatte ihr versprochen, dem abzuhelfen, es immer wieder verschoben und musste nun ran. »Deine Arbeit wirst du ja mal für zwei Stunden beiseitelegen können, bist jetzt doch selbständig.« Aus den zwei Stunden wurden zwölf. Was die Sache in die Länge zog, war ihr Festhalten an jedem knarrenden Korbstuhl und jedem Fußabtreter. Ohne Beseitigung des längst Überflüssigen aber ging es nicht.

In der Nacht darauf schlug das Wetter um, ging vom passablen zum miserablen Zustand über. Am Morgen war der Himmel grau, Nieselregen sprühte, ein schwacher Wind blies, frischte von Zeit zu Zeit auf und heulte in regelrechten Böen ums Haus. Der besseren Durchlüftung wegen hatte ich das Fenster im Wohnzimmer aufgelassen, und das rächte sich jetzt. Es hatte hereingeregnet, ziemlich stark sogar, nicht nur der Fensterstock und das Stück Wand darunter – auch der Teppich war nass. Ein mongolischer Teppich, in Rot, Grün und Gold, mit einem Paradiesvogelmuster, wir waren seinerzeit lange danach herumgerannt. In der früheren Wohnung war er eins der Lieblingsstücke Ingrids gewesen, und ich hatte mich gewundert, dass sie ihn mir bei der Trennung widerstandslos überließ. Aber der Handballtrainer stand wahrscheinlich nicht auf mongolische Volkskunst. Statt Pa-

radiesvögeln bevorzugte er gewiss Kolibris oder Nachtigallen oder hatte die Zimmer in seinem Eigenheim – denn so nannte er das Häuschen, in das sie einziehen durfte – mit irgendwelchen Schaummatten ausgelegt.
Ich hatte meine Wisch- und Trockenarbeit soeben beendet, den Lappen beiseite getan, mir die Hände gewaschen, als das Telefon klingelte. Ich dachte an Frau Iffka oder Jeanette, aber es war Inspektor Brinke von der Kripo. Er hatte meine Bitte also nicht vergessen.
Nach dem üblichen zurückhaltenden Austausch über die allgemeine und unsere persönliche Situation – seine Dienststelle war zunehmend mit Randalen in der Innenstadt befasst, die sich an Fußballspiele anschlossen – kam er auf das mich interessierende Thema zu sprechen. »Viel kann ich dir über deine Klienten nicht berichten«, sagte er, »Dorothea Iffka ist in der Kartei nicht erfasst, also vor dem Gesetz völlig unbescholten. Nur bei ihrem Mann ist der Computer fündig geworden. Erik Iffka war einmal in eine Betrugsgeschichte verwickelt. Ist knapp ums Gefängnis herumgekommen.«
»Betrug?«, fragte ich. »Könnte man da ein bisschen mehr erfahren?«
»Viel weiß ich nicht. Es ging um eine Schiebung mit Grundstücken. Er hat Land verkauft, das ihm nicht gehörte, die Summe allerdings noch vor Prozessbeginn auf Heller und Pfennig zurückgezahlt. Deshalb bekam er dann auch Bewährung.«
»Interessant«, sagte ich, »wann war das?«
»Warte. Hier hab ich's notiert. Der Prozess fand im Januar 86 statt.«
»Hm, das liegt schon ziemlich lange zurück.«
»Wie man's nimmt«, erwiderte er.

»Und den Namen dessen, der über den Löffel balbiert werden sollte, könnte man den auch erfahren?«

»Den habe ich nicht. Da müsste man die Prozessakten einsehen.«

Es war nicht so wichtig, ich bedankte mich, und er legte auf. Eine Weile stand ich da, hielt nachdenklich den Hörer in der Hand. Dann hängte ich gleichfalls ein. Mit meiner dicken Klientin zu sprechen, schien mir nun unumgänglich.

Wieder fuhr ich nach Buchholz, und wieder traf ich keinen an: Die Wohnung war verrammelt, auf mein Gongen und Klopfen hin öffnete niemand. Die Sache schien mir langsam verdächtig oder zumindest bedenklich, und so stieg ich die Treppe hinauf, klingelte an der Tür des Alten mit dem Birnenhaupt. Eine Frau öffnete. Schmächtig und drahtig wie sie war, schien sie das Gegenstück zu der Mieterin unter ihr.

»Ich war kürzlich schon mal im Haus, wollte zu Frau Iffka. Leider treffe ich sie nie an. Können Sie mir vielleicht …«

Aus einem hinteren Zimmer erklangen plötzlich wilde Beatrhythmen, die den Rest meiner Frage verschluckten. »Otto, stell die Heule ab«, rief die Frau, und zu mir sagte sie laut: »Ständig diese Musik. Das macht er nur, um mich zu ärgern.«

»Kürzlich, als Sie nicht da waren, hatte er die Heule auch auf volle Pulle gedreht«, tröstete ich.

»Was ist?«

Ich winkte ab und artikulierte dann so laut und genau mir das möglich war: »Können Sie mir sagen, wo ich Frau Iffka finde?«

Sie bedeutete mir zu warten, verschwand in der Wohnung. Von dort erscholl ein Disput, der die Musik noch übertönte. Dann verstummten die Rhythmen so jäh, wie sie aufgeklungen waren, und auch der Streit brach ab. In der Stille, die eintrat, hörte man den Regen auf dem Dach. Schließlich kam die Frau mit einem Zettel zurück, auf den sie eine Adresse gekritzelt hatte. »Das ist die Anschrift ihres Gartens, Sie können's höchstens mal dort versuchen. Aber ob sie sich bei dem Wetter in der Laube aufhält?«

»Das halte ich auch für unwahrscheinlich. Vielleicht ist sie bei einer Bekannten.«

»Schon möglich, doch da kann ich Ihnen nicht weiterhelfen. Ich wüsste niemanden, höchstens ihre Schwester in Wismar. Aber ich glaube, die beiden sind miteinander verkracht. Obwohl – da sie schon seit gestern weg ist … Und ihr Mann hat sich bereits vorher aus dem Staub gemacht.«

»Mittwochnacht ist sie mit dem Wagen weg.« Ihr Alter steckte unvermutet den Kopf aus dem Wohnzimmer.

»Unsinn, gestern früh hab ich sie noch auf der Treppe gesehen. Erst danach ist sie los«, widersprach die Frau.

»Ich hab's aber gehört und noch die Blinklichter bemerkt. Ich war grad mal draußen.«

»Was du dir immer einbildest. Sie war morgens noch da«, beharrte die Nachbarin.

Die dicke Dame war jedenfalls weg, der Streit um den Zeitpunkt interessierte mich nicht so sehr. Eher erstaunte mich, dass sie Auto fuhr, ich hätte ihr das nie zugetraut. Aber warum eigentlich nicht. Im Übrigen wusste die Nachbarin weder Adresse noch Namen der Schwester von Frau Iffka, konnte auch sonst keine Auskünfte geben. Sollte meine Klientin tatsächlich die Stadt verlassen haben? Wo sie mich angeheuert hatte, ihren Mann zu suchen? Möglicherweise versteckte sie sich vor den beiden, die ich vor kurzem daran gehindert hatte, ihren Erik in Stücke zu hacken. Ich entschloss mich doch zu einer Fahrt mit dem Ziel Garten.

Das Grundstück lag in der Nähe von Birkenwerder. Ich fuhr über den Nordring der Autobahn bis zur Abfahrt Oranienburg, hielt mich links und nochmals links. Das Wetter war wieder besser geworden, der Regen hatte aufgehört, und die Wolkendecke riss auf. Ab und zu sah man ein Stück blauen Himmel, auch ein Sonnenstrahl drang manchmal zur Erde, was alles gleich angenehmer machte. Der Wind allerdings rüttelte nach wie vor an den Bäumen.

Auf den Straßen und in den Gassen kaum ein Mensch. Ein junger Mann, der seinen Hund ausführte, beschrieb mir den ungefähren Weg, und später, am Rand der Siedlung, gelang es mir noch, ein Mädchen zu befragen. Das gesuchte Grundstück war etwas abgelegen, ich konnte mich nur nach der Nummer auf meinem Zettel richten, denn ein Name war nirgendwo zu entdecken. Schließlich hatte ich es. Es handelte sich um ein mit Büschen und Obstbäumen bestandenes umzäuntes Gelände, auf dem sich eine Art Hütte befand: unten Ziegel, oben Holz. Der hölzerne Teil war schwarz gestrichen, der Ziegelteil verputzt, aber der Putz bedurfte dringend einer Erneuerung. Eine Tür, ein Fenster, draußen ein paar Gartenstühle. Die Fensterläden aufgeklappt, das ließ mich hoffen. Ich drückte die Klinke des Gartentors herunter, es sprang auf. »Frau Iffka, sind Sie hier?«, rief ich, denn eine Klingel gab es nicht, und ich war mir noch immer nicht sicher, an der richtigen Adresse zu sein. Als keine Antwort kam, zog ich das Tor hinter mir ins Schloss und ging auf das Haus zu. Der Wind in den Bäumen, Nässe, die von den kahlen Büschen troff, und ringsum kein Mensch! Rechts schloss sich ein ähnlich verwildertes Grundstück an, links waren stoppelige Wiesen, nach hinten zu erhob sich struppiger Wald. Ich ging den Kiesweg entlang und rief erneut nach Frau Iffka,

doch nichts rührte sich. Dann hatte ich die Hütte erreicht, stand vor dem Eingang. Wie schon das Gartentor, ließ sich auch diese Tür ohne weiteres öffnen.
Ich trat über die Schwelle, befand mich in einem Raum, der anscheinend das Kernstück des Häuschens darstellte. Einfache Möbel: ein Tisch, zwei Stühle, ein schmaler Schrank, eine Bank entlang der Rückwand. Da Licht lediglich durch das eine Fenster hereindrang, konnte ich die Gegenstände zunächst nur undeutlich ausmachen. Nicht zu übersehen war allerdings der kleine magere Mann, der hinter dem Tisch zurückgelehnt in einem Sessel mit hoher Lehne saß. Etwas schlaff, er hatte die Augen geschlossen, nahm keine Notiz von mir.
Ich kannte diesen Mann, obwohl ich ihn außer auf einem Foto nur ein einziges Mal in meinem Leben gesehen hatte, und zwar vor zwei Tagen. »Schau an, Erik Iffka«, sagte ich.
Er gab keine Antwort, seine Haltung blieb unverändert. Ich erschrak, war mit drei Schritten bei ihm, fasste nach seiner Hand, die über der Stuhllehne hing. Doch ich begriff es bereits, bevor ich die Leblosigkeit seiner Finger spürte: Der Mann vor mir war tot.

10

Das Jenseitige, wenn es einem so direkt begegnet, macht immer wieder betroffen. Der da war fortan und für alle Zeit unerreichbar. Er hatte die Linie überschritten, die von keinem in entgegengesetzter Richtung passiert werden konnte; noch sah es aus, als gehörte er hierher, auf diese, unsere Seite, aber das war rein äußerlich, ein Eindruck, der täuschte, eine Illusion.
Aus meiner Zeit bei der Kripo kannte ich den Tod, ich hatte mehr als eine Leiche gesehen, wenn auch vielleicht nicht so viele wie mancher denken mag – die allgemeine Abgeschlossenheit des Landes, der eiserne Griff, mit dem auch diese Dinge angefasst wurden, hielten Kapitalverbrechen bekanntlich in Grenzen. Dennoch, es hatte Selbstmörder, Erschlagene, Erdrosselte gegeben, und mich hatte neben dem Zorn auf die Täter jedes Mal das Gefühl erfasst, etwas Unbegreiflichem und zugleich unwiederbringlich Verlorenem gegenüberzustehen.
Auch diesmal verhielt es sich so. Die Person Iffkas war mir durch die Recherchen der letzten Tage sogar ein wenig näher gerückt, selbst wenn es nicht viel gab, was mich für ihn hätte einnehmen können. Doch mein Zögern dauerte nur einen Augenblick, ich schüttelte die Starre ab, die mich erfassen wollte, ließ die Hand los. Nein, er war nicht auf natürliche Weise ums Leben gekommen. In seiner Jacke, derselben, die ich vor zwei Tagen an ihm gesehen hatte, gab es in Höhe des Herzens ein kleines dunkles Loch und einen Blutfleck. An diesem braunen, verkrusteten Blut und auch an den dunklen Stellen im Gesicht konnte man beim zweiten Hinblicken erkennen, dass die Leiche nicht mehr taufrisch war. Vorsichtig schob ich den Oberkörper des Mannes nach vorn; das

Geschoss war wahrscheinlich im Rücken wieder ausgetreten, hatte aber die Sessellehne nicht durchlöchert. Iffka, daran gab es keinen Zweifel, war woanders gestorben.
Ich schaute mich im Raum um: Unordnung – wenn man einmal außer acht ließ, dass ein Stuhl schräg stand, eine Bierflasche am Boden lag – war nicht zu entdecken. Hier hatte offensichtlich kein Kampf stattgefunden.
Nichts Auffälliges, keine Tatwaffe, keine Patronenhülse, kein verdächtiger Gegenstand auf der Erde.
Ich hütete mich, etwas im Raum zu berühren, durchsuchte Iffka aber kurz: Er hatte weder einen Ausweis noch eine Brieftasche bei sich, nicht einmal ein Portemonnaie.
Keinerlei Bargeld, nur einen Sammelfahrschein für den Westberliner Nahverkehr, zwei Fahrten waren noch frei.
Erik Iffka war offenbar ausgeraubt worden.
Ich dachte an die beiden Schlagbolzen von vorgestern, konnte mir aber einiges nicht zusammenreimen.
Ich dachte an Rena Vorweg, Ursula Bellok und den Mann, der mich niedergeschlagen hatte.
Ich dachte auch an die Auskunft Brinkes vom Vormittag.
In der Hütte war es still, der Wind hatte sich für Sekunden gelegt, Vögel begannen draußen zu zwitschern, fern kam das Gedröhn eines größeren Flugzeugs auf.
Es schien mir das Beste, mich unbemerkt zurückzuziehen.
Im Garten sah ich mich nach Spuren einer tätlichen Auseinandersetzung um – ich fand keine, hielt auch vergeblich nach irgendwelchen Schuhabdrücken Ausschau. Wenn sie ihn hierhergebracht hatten, dann über den Kiesweg. Die Frage war nur, zu welchem Zweck.
Vielleicht wollten sie meine dicke Dame mit dem Mord belasten!

Ich schloss das Gartentor hinter mir, setzte mich in den Wagen, fuhr davon, hoffend, dass mich niemand gesehen hatte, denn im Grunde ging mich die Sache nichts mehr an und konnte mir nur Unannehmlichkeiten bringen. Dennoch hielt ich an der nächsten Telefonzelle und meldete über 110 einen unbekannten Toten auf einem bestimmten Grundstück in Birkenwerder. Ich gab weder meinen Namen an noch den Grund meiner Anwesenheit dort. Ich wollte lediglich verhindern, dass Erik noch lange in diesem Sessel sitzen musste. Ich glaubte, ihm das schuldig zu sein.

Nach Hause zurückgekehrt, hörte ich schon von der Treppe aus das Telefon klingeln, aber obwohl ich mich beeilte und die Tür in Rekordzeit aufschloss, verstummte das Schrillen, bevor ich zum Hörer greifen konnte. Einen Anrufbeantworter, der mir in meiner Abwesenheit die Gespräche aufzeichnete, besaß ich nicht. Das würde kommen, in einem Jahr oder später. Zur Zeit war ich zufrieden, überhaupt ein Telefon zu besitzen, und vielleicht blieb mir aufgrund der nicht vorhandenen Technik auch einiges Unangenehme erspart.
Ich zog die Schuhe aus, hängte die Jacke über einen Bügel. Und wenn es nun Jeanette gewesen war? Mir fiel ein, dass ich sie bereits gestern hatte anrufen wollen. Ich wählte meinerseits, bekam erst ihre Mutter, dann sie selbst an die Strippe.
»Schau an, den Herrn gibt es noch«, sagte Jeanette spöttisch, als wären wir verlobt. »Scheinst ja mächtig von deinen Geschäften in Anspruch genommen zu sein. Hat dir etwa wieder jemand eins verpasst?«
»Dann hätte ich dich doch längst zur Pflege angefordert.«
»Harte Männer wie du kommen allein zurecht, das weiß man.«

»Mir schient, du siehst zu viel amerikanische Krimis.«
»Jedenfalls überleg ich mir, ob ich mich an Herrn Kehl ranschmeiße, wenn du dich so rar machst«, sagte sie. »Er war heute sehr freundlich zu mir.«
»Herr Kehl?« Für den Augenblick konnte ich mit dem Namen nichts anfangen.
»Ja. Der aus unserm Haus. Du hast ihn kürzlich kennen gelernt.«
Sie meinte den Designer, den Mann mit dem Wallehaar. Ich war nicht gerade erbaut. Spontan sagte ich: »Nein, das kann ich nicht zulassen. Wollen wir uns heute Abend treffen? In der ›Hexenbar‹?«
»Heute Abend? Unmöglich. Ist schon verplant.«
Im Grunde war mir das lieber. Ich hatte für diesen Tag genug erlebt. Meinte es jedenfalls. »Dann morgen Abend«, schlug ich vor.
Sie sagte großzügig zu, und bevor wir uns verabschiedeten, wagte ich noch zu fragen, ob sie heute schon einmal angerufen hätte, vielleicht kurz vor unserem Gespräch. Sie verneinte. So hinter mir her sei sie nicht, dass sie mich ständig von meiner wichtigen Arbeit abhalten würde.
Doch dieser Punkt klärte sich schnell, denn kaum hatte ich aufgelegt, klingelte das Telefon erneut. Es war Frau Iffka. »Na endlich«, rief sie. »Ich dachte schon, Sie kommen überhaupt nicht mehr nach Hause.«
»Eher könnte ich fragen, wo Sie die ganze Zeit stecken. Ich war zweimal bei Ihnen, hab Sie nie angetroffen.«
»Da hatten Sie Pech. Aber es stimmt, ich war zuletzt ein paarmal in Geschäften unterwegs.«
Ich hätte gern gewusst, um was für Geschäfte es sich dabei handelte, doch gab es anderes zu bereden. »Die Leute über

Ihnen meinten schon, Sie wären für länger weg«, sagte ich.
»Ach, Unsinn. Weil die Frau mir erzählt hat, dass Sie bei mir waren, ruf ich übrigens an. Ich vermute, es gibt etwas Neues.«
»Ja, das kann man sagen. Leider.«
Ihre Stimme klang noch rauer als sonst. »Leider? Was soll das heißen. Hat sich mein Mann mit seinem Liebchen endgültig verdrückt? Irgendwohin nach Westen? Geht es darum?«
»Verdrücken kann man das nicht nennen, Frau Iffka. Beim besten Willen nicht.« Mir steckte plötzlich ein Kloß im Hals.
»Was ist denn los? Reden Sie doch nicht so um den heißen Brei herum. Sie machen einem ja Angst.«
»Vielleicht wäre es besser, wenn ich bei Ihnen vorbei fahre. Oder Sie kommen zu mir. Über Telefon lässt sich das schlecht mitteilen.«
Einen Augenblick lang war nur ihr Atem zu hören, heftig, fast keuchend. Sie sagte: »Erst erzählen Sie mir, was geschehen ist. Haben Sie meinen Mann gefunden?«
»Wenn Sie so direkt fragen, ja. Aber er kann nicht mehr zu Ihnen zurück. Er ist … nun also … er ist tot.«
»Tot? Wieso denn?« Die Frage, mit fast kreischender Stimme gestellt, kam prompt.
»Er ist erschossen worden, Frau Iffka. Vor zwei Tagen bin ich noch hinter ihm hergerannt, hab vergeblich gehofft, ihn festzuhalten und zu überzeugen, dass er zu Ihnen zurückkehrt. Aber er ist mir entwischt. Heut hab ich ihn tot in Ihrem Garten gefunden. In Ihrem Häuschen.«
»Das ist ja furchtbar«, flüsterte die dicke Dame. »Erik, mein Gott.«
»Es tut mir sehr leid, dass ich Ihnen gerade diese Nachricht übermitteln muss.«

»In unserem Garten, weshalb denn, weiß es die Polizei schon?«
»Ich habe es gemeldet, allerdings ohne meinen Namen zu nennen«, sagte ich wahrheitsgemäß.
Unvermittelt schien sie sich wieder zu fassen, ihre Stimme klang fest. »Also könnte die Kripo bald in meiner Wohnung auftauchen, richtig?«
»Ja«, bestätigte ich, »das ist anzunehmen.«
»Gut, dann möchte ich von Ihnen vorher noch einiges erfahren. Bleiben Sie bitte zu Hause, ich komme sofort zu Ihnen. In einer Viertelstunde bin ich da.« Und sie legte auf.
Ich ging nachdenklich in die Küche, setzte Kaffeewasser auf und schmierte mir eine Stulle. Ich kaute noch an dem letzten Bissen herum, als sie vor meiner Tür stand. Sie hatte es fertig gebracht, ihre blauen, inzwischen gewiss schon lila verfärbten Flecken einigermaßen hinwegzuschminken; das längs gestreifte Kleid, das sie trug, nahm ihr etwas von ihrer Fülle. Geweint hatte sie wohl kaum, sie gab sich gefasst und ruhig.
»Erschossen«, sagte sie und nahm einen Schluck von dem Kaffee, den ich ihr hinstellte. »Wie ist das passiert?«
»Wenn ich das wüsste, wären wir schon einen Schritt weiter. Jedenfalls scheint er es nicht selbst getan zu haben.«
»Bestimmt nicht. Dazu ist … war er nicht der Mann. Und er hatte auch keinen Grund.«
Aus Liebeskummer dürfte er sich kaum umgebracht haben, dachte ich und sagte: »Es sieht ganz so aus, als sei er ermordet worden.«
Sie holte ein Papiertaschentuch hervor, schniefte. »Die Schweinehunde«, flüsterte sie. »Ich ahnte, dass sie schneller sein würden als wir. Wäre er doch bloß nach Hause gekommen. Sie sind ihm bestimmt bis in den Garten gefolgt. Dort, in der Einsamkeit, hatten sie leichtes Spiel.«

»Sie haben die beiden Kerle im Verdacht, die Ihnen …« – ich wollte sagen »eine Abreibung verpasst haben«, fand das aber in dieser Situation wenig pietätvoll und verstummte.
»Wen denn sonst? Dieses Flittchen etwa? Das wäre auch möglich. Wegen der Kohle tun manche Weiber sonst was. Die gehört zu der Sorte.« Ihre Augen sprühten Funken.
»Sonderbar ist, dass Erik offenbar gar nicht in Ihrem Gartenhaus erschossen wurde. Ein Durchschuss, aber kein Loch in der Rückenlehne des Sessels. Und kein Blut im Raum.«
»Weshalb, um Himmels willen, hat man ihn dann dort hingebracht?«, sagte sie.
»Vielleicht, um Sie zu belasten, Frau Iffka.«
Sie schaute mich mit großen erstaunten Augen an. »Ist das Ihr Ernst?«
»Sie sollten sich auf entsprechende Fragen der Kripo einrichten.«
Die dicke Dame brütete eine Weile vor sich hin. Sie knetete ihr Papiertaschentuch, und zwei Zuckerkügelchen fielen zu Boden. Plötzlich wusste ich, wie das Zeug hieß. Liebesperlen sagte man dazu.
Unerwartet brach Frau Iffka in Tränen aus. »Tot«, schniefte sie, »ermordet, was für ein Elend.«
Ich schwieg, sie aber saß, wie ein paar Tage zuvor, in meinem schwarzen Ledersessel, hielt die Handtasche auf den Knien, das Taschentuch gegen das Gesicht gepresst, schluchzend, und ich wusste nicht, wie ich mich verhalten sollte.
Ich bedauerte sie, und doch schien mir, sie weinte mehr über sich als über ihren Mann. Plötzlich hörte sie auf zu schniefen, beugte sich zu mir vor und flüsterte verschwörerisch: »Und das Geld, haben Sie irgendeine Spur von dem Geld entdeckt?«

»Welches Geld denn? Nach meiner Ansicht hatte er nichts bei sich. Wahrscheinlich ist er beraubt worden.«
»Natürlich ist er beraubt worden. Weshalb sollten sie ihn sonst erledigt haben? Aber ich verwette meinen Kopf, dass sie ihm nicht alles abnehmen konnten. Nicht die Hälfte von dem, was er besaß, nicht einmal ein Viertel. Er war nämlich schlau, müssen Sie wissen, viel schlauer als er aussah.«
Mir wurde die Sache ein bisschen zu bunt. Trauer oder nicht, ich wollte jetzt Klarheit haben. »Also, nun hören Sie mal, Frau Iffka, es ist noch keine Woche her, da sind Sie zu mir gekommen, haben mich beauftragt, Ihren Mann zu suchen, weil er angeblich mit diesem Modell auf und davon war. Einen Tag später wurden Sie von zwei Ganoven in der eigenen Wohnung überfallen und verprügelt, und jetzt ist Ihr Mann umgebracht worden. Kürzlich schon deuteten Sie etwas von Schulden an, die er hatte. Von Geld, das er nicht zurückzahlen wollte. Was wird hier gespielt, weshalb haben Sie beide die Schulden gemacht, und um welche Summen handelt es sich? Was steckt wirklich hinter dem Auftrag, den Sie mir erteilt haben?«
Sie brachte es fertig, auf den Schreibtisch zu greifen und ihre dicke Patschhand auf meine zu legen. In ihren dunklen Augen schimmerten noch die Tränen, als sie erwiderte: »Sie kriegen ein Viertel von dem, was Sie in seinem Unterschlupf finden, ich schwör's. Fünfundzwanzig Prozent, es lohnt sich für Sie!«
»Ich will keine fünfundzwanzig Prozent, Frau Iffka. Ich will wissen, worum es wirklich geht.« Ich zog meine Hand zurück. Sie versank wieder in ihrem Sessel, hörte auf, mich flehentlich anzuschaun. »Also gut, wir hatten diese Anleihe genommen. In D-Mark, im November vorigen Jahres, eine größere Summe, es war nicht ganz einfach, sie zu kriegen. Der Kurs

damals war günstig, sehr günstig sogar. Erik hat das Geld getauscht, und wir hatten plötzlich die Hand voller Ostscheinchen. So viel hatte ich noch nie im Leben gesehen.«
»Wie hat Ihr Mann getauscht? Eins zu zehn?«
»Nicht ganz. Eins zu zehn ging nur ein paar Tage. Aber trotzdem.«
»Und was war dann?«
»Dann änderte sich der Kurs, wurde wieder günstiger für die Ostmark. Es lohnte sich, zurückzutauschen.«
»Hm«, sagte ich und dachte nach. Man nimmt eine D-Mark, tauscht eins zu neun und erhält neun Mark Ost. Später wechselt man die neun Mark im Verhältnis drei zu eins zurück und besitzt drei D-Mark. Ein lohnendes Geschäft, wenn die Beträge hoch genug sind.
»Der Kurs schwankte«, fügte die dicke Dame hinzu, »Sie wissen das ja. Erik nutzte das sehr geschickt aus.« In ihrer Stimme lag der Stolz der Ehefrau auf den klugen Gatten.
»Das war Spekulation und strafbar«, wandte ich ein.
Sie zuckte die Achseln. »Was soll aus dem kleinen Mann werden, wenn er sich nicht zu helfen weiß. Schließlich gingen wir auch ein Risiko ein. Erik hätte eben nicht so gierig sein, hätte die Anleihe zurückzahlen sollen.«
»An diese beiden Schlagbolzen, oder irre ich mich?«
»Sie irren sich nicht«, erwiderte die Dicke.
»Und warum hat er es nicht getan? Sie hatten inzwischen doch die drei-, die vierfache Summe eingenommen.«
»Ich wollte es ja, Gott ist mein Zeuge, dass ich es wollte«, sie verdrehte die Augen. »Aber da kam dieses Flittchen dazwischen, er war ihr völlig verfallen. Sie hat ihn beschwatzt, mit ihr durchzubrennen und alles Geld mitzunehmen. Ich könnte sie umbringen.«

Ein Toter genügt wahrhaftig, dachte ich, verzichtete aber darauf, das auszusprechen. Stattdessen sagte ich: »Schuldete er nur diesen beiden etwas, oder gab es noch mehr Gläubiger?«
»Höchstens noch ein paar kleine Pinscher, die ihm beim Umtauschen halfen, aber die hat er wohl ausbezahlt.«
»Wissen Sie das, oder glauben Sie es nur?«
Die dicke Dame begehrte auf. »Sie gehn mir mit Ihren Fragen auf den Senkel. Ich nehme es an, bisher hat sich jedenfalls keiner bei mir gemeldet. Ich kenne die Leute ja nicht, er fand es besser, wenn er das allein in der Hand behielt. Helfen Sie mir nun bei der Suche nach der Knete oder nicht?«
»Ich hatte den Auftrag, Ihren Mann zu finden. Inzwischen ist ein Mord geschehen. Meine Arbeit ist erledigt.«
»Nur seinen Schlupfwinkel, den Ort, wo er sich verkrochen hatte«, sagte sie mit bittenden Augen. »Es muss dort versteckt sein, er hat's bestimmt nicht eingezahlt, ich kenne ihn. Dem Weib hat er so schnell auch nicht alles in den Rachen geworden, auf keinen Fall. Zehntausend Mark für Sie, ich geb mein Wort. Ich brauche das Geld doch, sonst machen die mich ebenfalls fertig.«
Ich kratzte mir den Schädel. Die Summe ließ mich keineswegs unbeeindruckt, und ein bisschen tat mir meine dicke Dame auch leid.

11

Es gab die Möglichkeit, ab diesem Augenblick alles Weitere der Polizei zu überlassen, und es gab die andere Möglichkeit, eine einmal begonnene Sache zu Ende zu bringen. Was hieß, einen Mörder zu finden oder wenigstens dabei zu helfen; auch einige Tausender schwirrten ja offensichtlich in der Gegend herum, und es gefiel mir nicht, dass sie die falschen Leute reich machen sollten.

Wiewohl die falschen Leute nicht selten reich werden und es sich erst noch herausstellen musste, wer in diesem Fall die richtigen waren.

Für mich selbst lag ein Kuvert mit einigen zusätzlichen Hundertern bereit – die dicke Dame hatte es, bevor sie gegangen war, diskret unter ihre leere Kaffeetasse geschoben, und ich hatte nicht die Kraft besessen, seine Annahme zu verweigern.

»Das verpflichtet Sie zu nichts«, hatte sie gesagt, »es ist wegen der besonderen Ausgaben, die Sie durch mich hatten. Im Übrigen sind wir uns bestimmt darüber einig, dass die Kripo nicht alles zu wissen braucht. Besonders nicht, dass ich Sie gebeten habe, nach der fehlenden Knete zu fahnden.«

»Ich werde der Polizei keine Informationen vorenthalten, die zur Ergreifung des Täters führen könnten«, erwiderte ich tapfer.

»Das sollen Sie ja gar nicht. Ich bin mehr als andere daran interessiert, dass die Mörder des armen Erik gefunden werden. Aber was hat mein Geld damit zu tun. Man muss die Dinge auseinanderhalten. Sie haben sich schließlich auch nicht zu erkennen gegeben, als Sie die Kripo benachrichtigten.«

Ich hätte ihr erklären können, dass dies zwei verschiedene Schuhe waren, dass ich erst noch mit ihr hatte sprechen wollen und überhaupt, doch ich unterließ es. Im Grunde hatte sie recht, ich hatte die Untersuchungen der Polizei bereits behindert. Nun schaute mich das Kuvert mit den Hundertern an, und ich musste zugeben: Die Frau verstand etwas von Psychologie.
Ich packte das Geld in eine Stahlkassette unten im Rollschrank, nahm mir vor, es nach Leistung zu verrechnen. Inzwischen war es Abend geworden, und ich beendete den Tag, indem ich mir einen Fernsehdisput zu Gemüte führte. Es ging um verfallene Städte und asbestverseuchte Neubauten. Von Gemüt konnte keine Rede sein.
Am Morgen holte mich per Anruf die Kripo aus dem Schlaf, ein Kriminalrat, der von Brinke erfahren hatte, dass die Iffka meine Klientin sei. Ich solle doch mal bei ihm vorbeischaun, im Präsidium, Zimmer sowieso, wenn möglich gestern. Der Mann hieß Emden, ich hatte den Namen schon mal gehört, kannte den Kriminalrat sonst aber nicht, wahrscheinlich war er aufgerückt. Ich sagte mich auf zehn an, gönnte mir vorher ein kräftiges Frühstück. Dann einen Blick in die Zeitung; was sein musste, musste sein.
Schließlich fuhr ich in die Stadt, suchte die ehemalige Dienststelle auf.
Es war ein sonderbares Gefühl, wieder die Korridore entlangzugehn, die Treppen hinaufzusteigen, auf denen ich mich noch vor einem Jahr bewegt hatte, als müsste es bis an mein Lebensende sein. Damals mit Anzug und Krawatte, wie es der Kleiderordnung entsprach. Heute konnte ich lax in Marmorjeans, kariertem Pullover, einem Anorak mit dem Markenzeichen »Klepper« die Flure entlanglaufen. Ich

hatte dieses gute Stück im An- und Verkauf erstanden, weil es praktisch war und locker saß. Sie hätten aber auch nichts gesagt, wenn ich in Knickerbockern in ihre geheiligten Gefilde eingedrungen wäre oder mit einer Mickymaus auf dem Hemd. Jetzt war mir das alles erlaubt! Es wollte dennoch kein Gefühl der Genugtuung aufkommen.

Brinke war nicht im Haus. Der Kriminalrat, ein auf Korrektheit bedachter, mir nicht besonders sympathischer Typ, ließ sich meine Begegnung mit Frau Iffka und meine Versuche, ihren Mann aufzustöbern, ganz genau schildern. Allerdings gab es Einzelheiten, die ich trotzdem unterschlug. Mein Zusammentreffen mit Ursula Bellok zum Beispiel und natürlich die Tatsache, dass ich schon vor der Polizei bei der Leiche gewesen war. Was die Geldmanipulationen der dicken Dame und ihres Mannes anging, so drückte ich mich sehr allgemein aus. Immerhin gab ich an, irgendwelche größeren Beträge könnten ein Mordmotiv gewesen sein.

Die Knollennase und sein schwarzhaariger Kumpan Ecke interessierten Emden außerordentlich, vor allem auch, weil der Tod Erik Iffkas durch einen anonymen männlichen Anrufer gemeldet worden war. Dabei konnte es sich durchaus um den Mörder selbst handeln – so etwas sollte vorkommen – oder um einen Kumpan, der sich beim Verteilen der Beute übervorteilt glaubte. Ich überging diese Mutmaßung mit unbewegtem Gesicht und bat, mich bei den Ermittlungen ein wenig auf dem Laufenden zu halten. »Wir werden sehn, Sie unternehmen jedenfalls künftig nichts und teilen uns mit, was Ihnen zu dem Mord eventuell noch einfällt«, wies er mich an. Seine Art machte mir keine Lust, ihn von meinen »Einfällen« zu unterrichten, die sich momentan allerdings auch in Grenzen hielten. Nur eines war klar: Die Polizei würde sich den

zum Teil durch mich bekannten Personen an die Fersen heften, Frau Iffka und Rena Vorweg, außerdem würde sie sich um Ecke und die Knollennase kümmern. Wenn ich ihr nicht unter die Augen und dennoch vorankommen wollte, musste ich es bei Uschi Bellok versuchen. Sie aber war nirgendwo anzutreffen. Weder zu Hause noch in »Pomms Pommes-Stube«, noch im »Atelier Constanze«, wo ich mich als Reporter ausgab und der Chefin zu der neuen Kollektion gratulierte, die ich in Wirklichkeit einmalig albern fand.
Über all diesen Nachforschungen hätte ich um ein Haar meine Verabredung mit Jeanette vergessen. Es war bereits einundzwanzig Uhr, als ich daran dachte; sie musste annehmen, ich hätte sie versetzt. Ich war gerade nach Hause gekommen, hatte ein Wurstbrötchen und einen Apfel verzehrt, nun verwandte ich fünf Minuten darauf, mich frisch zu machen, den Pullover mit einem Hemd zu vertauschen, dann stürzte ich mich wieder in den Verkehr.
In der »Hexenbar« herrschte um diese Stunde ziemlicher Betrieb. Die Tische waren alle besetzt, auf dem Podium vorn schüttelten sich die Tanzpaare, und die Bardame, diesmal in einem tiefseeblauen Kleid, das bis zum Nabel hinab aufgeschlitzt war, hatte alle Hände voll zu tun. Mein Blick suchte Jeanette, aber ich konnte sie zunächst nicht entdecken. Nur das Fuchsgesicht von neulich sah ich. Der Mann nuckelte am Rand der Theke wie schon beim vorigen Mal an einem Cocktail.
Ich steuerte ihn an – wenigstens ein Bekannter –, aber als ich mich an den Tanzenden vorbei nach vorn drängte, stieß ich doch noch auf meine kleine Freundin. Sie saß, umgeben von einem Pulk junger Männer, in einer Nische und schien sich keineswegs zu langweilen. Sie hatte sich verdammt raffi-

niert zurechtgemacht, trug ein kurzes braunsamtenes Kleid, das die linke Schulter freiließ, dazu einen breiten Lackgürtel mit Goldschnalle und große Dreieckohrringe. Um den Hals klimperte eine Kette aus emailliertem Blech, die gut zu den Ohrringen passte. Oder umgekehrt. Auf dem Tisch vor ihr standen zwei Weinflaschen und eine Menge Gläser. Einer der Kerle, vielleicht hatte er die Spendierhosen an, prostete dem Mädchen zu.

Jeanette sah mich nicht oder tat zumindest so. Erst als ich ihr direkt gegenüberstand – nur der Tisch war zwischen uns –, geruhte sie, mich zur Kenntnis zu nehmen. Ich setzte mein gewinnendstes Lächeln auf und murmelte eine Entschuldigung. Ich hätte mich beeilt, so sehr ich konnte, doch die Arbeit … Es wäre beim besten Willen nicht anders gegangen. Sie sah ein bisschen über mich hinweg oder durch mich hindurch und flötete: »Dass du mich noch antriffst, hast du diesen Herren zu verdanken. Quetsch dich mit ran, wenn du einen Stuhl findest, und bestell uns was zu trinken.«

Die »Herren« waren im Durchschnitt zehn Jahre jünger als ich, sie diskutierten eifrig über ein Formel-1-Rennen, die Marktwirtschaft, den Unterschied zwischen Erotik und Pornographie. Mit dem letzten Thema hatten sie offenbar Jeanettes Geschmack getroffen, denn sie war ganz gefesselt, stritt eifrig für das Erste und gegen das Zweite. Ich versuchte am Disput teilzunehmen, hatte aber das Gefühl, nicht recht in diese Runde zu passen. Meine Argumente wurden überhört, obwohl ich eine Flasche besseren Weins hatte springen lassen. Da es mir andererseits nicht gelang, das Mädchen loszueisen, begab ich mich an die Bar. Ich setzte mich auf einen gerade frei werdenden Hocker neben das Fuchsgesicht.

»Heute ist nichts mit Pils, was«, sagte der Mann mürrisch, zeigte damit aber immerhin, dass er mich wiedererkannte.
»Ein Doppelkorn tut's auch.« Ich holte eine Schachtel Verlegenheitszigaretten hervor und bot ihm eine an.
Er griff sich einen der Glimmstängel, zückte ein billiges Gasfeuerzeug. »Na, wieder mal ein verpasstes Rendezvous?«
»Diesmal nicht verpasst. Nur ein wenig verbummelt.«
»Und was ist mit der Ersten, mit dieser Rena?«
»Daraus ist leider nichts geworden. Sie scheint auf andere Männer zu stehn.«
»Auf solche, die ein paar mehr Scheine auf den Tisch legen als du, was?« Er schaute mich spöttisch an.
»Wer sagt dir, dass ich einem Weib nicht die Strümpfe bezahlen kann?«
Mein lockerer Ton schien ihn gleichfalls aufzulockern. »Die Strümpfe vielleicht. Aber alles andere? Man sieht dir doch an, dass du die Groschen zählst, bevor du in einen Puff gehst.«
Mit den Groschen hatte er recht. Ich wusste nicht, ob ich beleidigt sein oder lachen sollte. Ich erwiderte: »Hier gibt's noch keinen Puff, jedenfalls keinen offiziellen.«
»Das wird sich alles, alles ändern«, gab das Fuchsgesicht philosophisch zur Antwort.
Wir plauderten noch ein Weilchen. Ich erinnerte mich daran, dass er Ulli hieß, und er teilte mir seine Theorie über Weiber wie Rena mit, für die, wie er mir versichern könnte, nur zwei Dinge im Leben zählten.
»Und die wären?«
»Nummer eins: money, money, money.«
»Ich verstehe. Und Nummer zwei?«
»Die Karriere, um Money zu machen. Durch Kerle wie den da«, er deutete mit dem Kinn zur Tür, wo ein Mann aufge-

taucht war, dessen Blicke suchend durch den Raum glitten. Ich kannte ihn. Ich hatte ihn vor Jeanettes Tür getroffen. Seine Haarpracht prägte sich einem ein.
Ein bisschen mehr, als er zugab, schien Ulli von Rena Vorweg und ihren Bekanntschaften zu wissen.
Die Bardame hatte eine halbe Minute Zeit für uns. Sie streifte mich lässig mit einem Blick unter ihren Klimperwimpern hervor. An meinen Nachbarn richtete sie die Frage: »Na, noch eine ›Sanfte Mary‹?«
Das Fuchsgesicht zögerte, ich aber sagte: »Zwei, auf meine Rechnung. Ich probier das Zeug auch mal.«
»Das ist kein Zeug, das ist eine Spezialität des Hauses«, belehrte mich die Schankfrau.
»Oh, ich entschuldige mich.«
Zwei Gläser »Sanfte Mary« wurden vor uns hingestellt. Der Cocktail war für meine Begriffe nicht sanft, sondern viel zu süß. Ulli dagegen leckte sich genießerisch die Lippen.

12

Das Fuchsgesicht war für einige Minuten aufs Klo verschwunden, die Bardame, im Moment nicht ganz so beschäftigt, spülte ein paar Gläser aus. Sie beugte sich dabei nach vorn, und ihr Dekolleté schaute sich aus dieser Perspektive noch erfreulicher an. Dessen ungeachtet kam mir die Idee, sie erneut über Iffka auszufragen. Ich bot ihr von meinen Zigaretten an und erklärte, dass ich inzwischen wisse, mit wem Rena Vorweg weggefahren sei. Mit so einem kleinen mageren Kerl namens Erik Iffka.

»Das beschäftigt Sie ja immer noch«, erwiderte die Schankfrau lächelnd.

»Nun mal ehrlich, er war doch oft hier, Sie kennen ihn.«

»Sind Sie von der Polizei?«

»Nein. Es ist ganz privat.« Und um ihrem Gedächtnis auf die Sprünge zu helfen, schob ich einen Zehnmarkschein über den Tresen. Bei den Ostpiepen fiel mir so was leichter.

Sie packte das Geld mit nonchalanter Geste weg. »Und was ist, wenn ich ihn wirklich kenne? Wenn er hier war, vielleicht sogar öfter?«

»Dann würde mich interessieren, wann zum letzten Mal.«

»Was weiß ich. Vor einer Woche möglicherweise. Seit Sie nach Rena fragten, hab ich ihn jedenfalls nicht mehr gesehen.«

»Okay. Worum ging's, wenn er hier auftauchte? Mit wem traf er sich?«

»Na hören Sie mal«, begehrte die Bardame auf. »Ich horch die Leute doch nicht aus. Mit welchem Recht wollen Sie das überhaupt wissen?«

Ich ließ einen zweiten Zehner blinken. »Mit keinem besonderen Recht. Es sind ja auch keine besonderen Fragen.«

»Sie sind ein eigenartiger Kerl. Na ja, bei Erik ging's immer um Geschäfte. Er kannte viele Leute.«
»Um was für Geschäfte?«
Sie griff sich das Geld und erwiderte: »Er handelte, glaub ich, mit Grundstücken. Oder tat so. Das hat ihm manchmal Ärger eingebracht.«
Ulli kam zurück, und die Bardame wandte sich abrupt von mir ab. Ich selbst hatte wenig für mein Geld gehört, trotzdem aber das, was ich hören wollte. Und fand es an der Zeit, mich wieder Jeanette zuzuwenden. Zumal die Truppe an ihrem Tisch sich aufzulösen begann. Drei der vier Burschen hatten sich auf andere Miezen eingepegelt, und der Letzte, der mit den Spendierhosen, wurde deutlich von ihr auf Abstand gehalten. Er war ein kleiner Angeber und kaum ihr Typ, doch zu fest wollte ich mich darauf nicht verlassen. Deshalb rutschte ich von meinem Hocker, ging zu ihrem Tisch und forderte sie zum Tanzen auf. Ich legte so viel wilde Entschlossenheit in meinen Blick, sie jetzt oder nie zu erobern, dass sie sich unmöglich verweigern konnte.
Beim Schieben und Rütteln auf dem Stückchen Parkett, das uns die anderen überließen, schmollte sie noch, machte sich steif, doch an der Bar, beim Verkosten der »Sanften Mary«, lenkte sie ein. »Was ist denn in den letzten Tagen so Aufregendes passiert?«, erkundigte sie sich.
»Ich hab Erik Iffka gefunden, und leider in keinem guten Zustand.«
»Was heißt das?«
»Das würde ich dir lieber bei anderer Gelegenheit erzählen, der heutige Abend ist zu schade dafür«, erwiderte ich.
»Nun rück schon raus damit, du hast einmal davon angefangen.«

»Er ist tot«, sagte ich, »man hat Iffka umgebracht.«
Inzwischen hatten sich die Tanzenden auf ihre Plätze begeben, die Rockmusik, von einem Tonband im Hintergrund herrührend und durch Lautsprecherboxen verstärkt, verstummte. Bei fetzigen Gitarrenklängen erschien auf dem Podium Giselle, eine mit Schnüren behangene Rothaarige, und begann sich auszuziehen. Sie warf flammende Blicke ins Publikum, führte ekstatisch einige Sprünge aus und schleuderte die Arme nach vorn, als wäre sie ihrer überdrüssig. Dann, nach einigen Wellenbewegungen des Bauches, setzte sie sich auf einen für sie bereitgestellten Stuhl, erhob sich wieder, lief ohne Röckchen, danach ohne Pulli, danach ohne Strümpfe um diesen Stuhl herum, schwang die Beine mal links, mal rechts über das Möbelstück und ließ sich mit Applaus verwöhnen. Jeanette, die noch von meiner Information über die Ermordung Iffkas beeindruckt war, aber, wie sie mir gestand, zum ersten Mal eine Stripnummer sah, flüsterte mir zu, dass sie so etwas nie fertigbringen würde.
»Was denn«, fragte ich, »die Beine über einen Stuhl schmeißen?«
»Nein, vor Publikum den Slip fallen lassen.«
»Das brauchst du auch nicht. Du kannst es ja erst mal vor einem einzelnen Mann versuchen.«
Sie boxte mich in die Seite, und ich zog sie näher an mich heran, was Ulli, der ein Stück von uns abgerückt war, zu einem spöttischen Grienen veranlasste. Man konnte auch annehmen, dass es eine Aufforderung war, nun endlich aufs Ganze zu gehn. Und du, dachte ich, wofür interessierst du dich eigentlich? Nur für deine Cocktails?
Ich bezahlte, vergaß das Getränk nicht, das ich ihm spendiert hatte. Die Rothaarige auf dem Podium warf ein letztes Mal

die Beine über den Stuhl und verschwand dann, ihre Schnüre und Stoffstücke zusammenraffend, durch eine Glastür. Man musste ihr auf jeden Fall ein gymnastisches Talent bescheinigen.

Der Beifall verebbte, und die Tonbandrhythmen setzten wieder ein. Wir gingen. An der Garderobe – ich nahm gerade den Mantel meiner Begleiterin in Empfang – stieß ich nochmals auf Kehl, den Designer, der aber tat, als erkenne er mich nicht. Er machte einen nervösen Eindruck, rauchte hastig und hörte kaum auf das, was ein anderer Typ ihm erzählte.

Jeanette war zur Toilette gegangen. Als sie zurückkam, verschwand Kehl schnell im Gastraum. Ich fragte das Mädchen, ob Rena Vorweg in den letzten Tagen in ihrer Wohnung aufgetaucht sei.

»Keine Ahnung, ich jedenfalls hab sie nicht gesehen.«

»Aber vielleicht wissen deine Eltern was, vielleicht war irgendwann Licht in der Wohnung nebenan?«

»Glaubst du, dass sie etwas mit diesem Mord zu tun hat?«

»Ich hoffe es nicht.«

»Das ist schon ein Ding«, flüsterte das Mädchen, »da denkt man, du stöberst hinter dem Onkel her, der seiner Ollen weggelaufen ist, und nun wird ein richtiger Krimi draus.«

Ich schwieg.

»Was willst du denn jetzt machen?«

»Die Sache überschlafen«, sagte ich. »Am besten mit dir.«

13

Am nächsten Morgen wachte ich reichlich verkatert auf, wir hatten, bevor wir ins Bett geschlüpft waren, noch Sekt getrunken, und ich vertrug anscheinend die Sorte nicht. Oder es lag an der »Sanften Mary«, an dem sonstigen Alkoholdurcheinander. Jeanette allerdings lag wie ein kleiner molliger Engel still in den Kissen, sie blinzelte zufrieden, als ich mich aufsetzte und zur Tür tappte, sie sagte: »So hab ich mir das immer vorgestellt.«
»Was hast du dir so vorgestellt?«
»Das mit dem Zusammensein. Die Frau rekelt sich noch ein bisschen im Bett, und der Mann macht inzwischen das Frühstück.«
»Das klappt aber nur, wenn der Mann nichts anderes vorhat.«
»Wie heute«, sagte sie, »heute ist Sonntag.«
»Du hast mich überzeugt. Dreh dich ruhig noch mal auf die Seite.«
Ich ging ins Bad, zog den Schlafanzug aus und hängte ihn an einen Haken. Dann drehte ich die Dusche auf. Kalt mit warmer Einlage, ich gehöre nicht zu den Recken, die sich morgens sofort unter den eiskalten Strahl stellen. Jedenfalls nicht, solange der Hochsommer auf sich warten lässt. Trotzdem ließ der Druck auf die Schädeldecke nach. Vielleicht auch, weil es mir gelang, eine Weile an gar nichts zu denken. Dazustehn und mich einfach mit Wasser beplätschern zu lassen. Ich wusste nicht einmal, wie spät es war, hatte vergessen, auf die Uhr zu schaun.
»Bist du eingeschlafen da drin?«, perlte ihre Stimme durch das Wasserrauschen hindurch an mein Ohr.
»Nein, ich erhole mich.«

»Fandest du die Nacht denn so anstrengend?«
»Ganz im Gegenteil. Bloß der Sekt und der Rotwein haben mich geschafft.«
Denn nun erinnerte ich mich wieder: Wir hatten nicht nur Sekt, sondern auch noch Rotwein getrunken. Auf dem Nachhauseweg und anfangs in der Wohnung hatte Jeanette mir Löcher wegen des toten Iffka in den Bauch gefragt, meine Meinung wissen wollen, wer es gewesen sein könnte, und die unsinnigsten Vermutungen angestellt. »Der hat bestimmt mit 'ner Art Mafia zusammengearbeitet«, sagte sie und: »Wenn der mal nicht in 'ne Spionagesache verwickelt war.« Mit dem Hintergedanken, in der Nacht vielleicht noch auf Rena Vorweg zu stoßen und weil ihre Behausung näher lag, wäre ich gern mit zu ihr gekommen, doch das hatte sie abgelehnt. »Meine Eltern sind da, bei dir geht es viel unkomplizierter.«
Nun ja, man konnte nicht alles haben, und die eigene Wohnung war ja in der Tat bei dem, was uns unter der Haut brannte, von Vorteil. Das Bedürfnis nach Zärtlichkeit siegte bei Jeanette schließlich über die kriminalistische Neugier; nachdem wir uns ein wenig gestreichelt hatten, vergaß sie alle Fragen und brachte auch mich dazu, abzuschalten. Ihre nackte Haut war noch samtiger als ihr schickes Samtkleid. Im Schein einer Nachttischlampe bemalte ich ihren Bauch um den Nabel herum mit dem erwähnten Rotwein, sie aber flößte mir Sekt ein, den ich schon am Vortag, gleich nach unserem Telefonat, vorsorglich in den Kühlschrank gestellt hatte, und fütterte mich mit Salzstangen. Dann bestand sie darauf, sich verwöhnen zu lassen und von meinen Erfahrungen zu profitieren. Ich tat, was ich konnte.
Schöne Nacht, glückliche Nacht – als ich das Bad verließ, war

mein Kopf noch nicht leicht, aber voller prickelnder Erinnerungen. Ich bereitete ein Frühstück, brachte es dem Mädchen ans Bett. Jeanette zeigte guten Appetit und war überhaupt fröhlich. Unsere Sinne wurden erneut in verschiedener Hinsicht angeregt. Einige Zeit vergnügten wir uns noch auf der Lagerstatt.

Irgendwann, das Mädchen befand sich in der Küche, blickte ich zum Fenster hinaus und sah unten, auf der gegenüberliegenden Straßenseite, einen silbergrauen Mercedes halten. Ein vollschlanker, gut gekleideter Mann stieg aus und nahm das Gebäude in Augenschein, das meine bescheidene Unterkunft barg. Das wäre wenig interessant für mich gewesen, hätte sich vom hinteren Sitz des Wagens nicht ein zweiter Kerl geschoben, ein untersetzter, mit rotem Gesicht und Knubbelnase. Wenn ich den gut Gekleideten auch nicht kannte, die Knollennase war mir in unangenehmer Erinnerung.

Ich begab mich in die Küche. »Schnapp dir deine Sachen, Jeanette, zieh dich an und bleib im Wohnzimmer. Verhalte dich bitte ganz still. Ich habe den Eindruck, dass ich unfreundlichen Besuch bekomme.«

»So gefährlich wird's doch nicht gleich werden.«

»Gefährlich oder nicht, es ist besser so.«

Sie merkte, dass ich es ernst meinte, und verschwand im Wohnzimmer, um ihre Sachen überzustreifen. Ich warf erneut einen Blick aus dem Fenster: Der Wagen stand noch da, doch die beiden Männer waren nicht mehr zu sehen. Kurz darauf klingelte es an der Tür.

Ich ging ins Büro, setzte mich hinter den Schreibtisch. Ein Blick zur Uhr sagte mir, dass es kurz nach elf war.

Es klingelte erneut, ich drückte auf den Knopf, der die Türverriegelung freigab. Es war eine der wenigen technischen Neuerungen in meiner Wohnung.

Sie kamen herein. Der Vollschlanke mit Chefgebaren vorneweg, die Knollennase in seinem Kielwasser. Sie ließen die Blicke durch den Raum gleiten, hatten aber keinen Gruß für mich übrig. »Sie sind also Krey und nennen sich Privatdetektiv«, schnarrte der Chef.

»Steht draußen an der Tür. Aber mit wem habe ich die Ehre?« Ich wollte mich nicht provozieren lassen.

»Spielt keine Rolle. Ich habe mit Ihnen zu reden.«

Dass er mich mit Sie anredete, beruhigte mich ein bisschen. Auch wenn mein Mobiliar nicht allzu viel wert war, es wäre mir lästig gewesen, nach einer Schlägerei Zeit und Kraft für die Reparatur aufbringen zu müssen. Außerdem befand sich Jeanette nebenan. »Dann nehmen Sie doch Platz«, sagte ich verbindlich.

Die Knollennase wollte sich auf einen Stuhl lümmeln; sein Chef hielt ihn mit einer Handbewegung davon ab und baute sich selbst hinter meinem Prunksessel auf. Er stützte sich mit beiden Händen auf die Lehne. »Wir haben nicht viel zu besprechen. Das geht im Stehen.«

»Ganz wie Sie wünschen. Falls Sie allerdings einen Auftrag für mich haben …«

Die Knubbelnase gluckste, als hätte ich einen unerhörten Witz losgelassen. Und ein bisschen war es auch so. Der Mann hinter meinem Besuchersessel wollte mich bestimmt nicht um Hilfe bei einer Ermittlung bitten.

»Reden Sie kein Blech. Ich brauche keine Detektive. Vor allem aber brauch ich niemanden, der mir ins Geschäft pfuscht.«

»Gehn Ihre Geschäfte gut?«, konnte ich mich nicht enthalten zu fragen.

»Bestimmt besser als Ihre. Und die werden bald gar nicht mehr laufen, wenn Sie uns ein weiteres Mal in die Quere kommen.«

»Das müssen Sie mir schon deutlicher erklären«, säuselte ich.

Die Knollennase ballte die Faust. Obwohl ganz gewiss nicht übermäßig mit geistigen Gaben ausgerüstet, merkte der Kerl, dass ich mich absichtlich dumm stellte. Auch erinnerte er sich offenbar an die Szene neulich, bei der er nicht gerade gut abgeschnitten hatte.

»Du sollst nicht weiter in der Iffka-Geschichte herumfummeln, mein Junge.« Der Ton des Chefs war jetzt drohend.

Meine Stimme klang gleichgültig. »Wenn Sie deshalb gekommen sind … Da mich Frau Iffka nun einmal dafür bezahlt, muss ich auch meine Arbeit tun.«

Der Chef beugte sich nach vorn, seine Finger krallten sich in die Sessellehne. »Der Kerl gehört uns, verstehst du. Er hat uns übers Ohr gehaun, schuldet mir ein kleines Vermögen. Ich hab der dicken Trulle schon klargemacht, dass sie nicht so davonkommen. Und dir sag ich zum letzten Mal: Halt dich da raus!«

Ich konnte meine Verblüffung nur schlecht verbergen. Schauspielerte er, oder wusste er tatsächlich nichts vom Tod Eriks. Die Polizei war bereits seit zwei Tagen informiert, und dass die Schlagbolzen, die, wie sich herausstellte, in seinem Dienst standen, in den Fall verwickelt sein konnten, hatte der Kriminalrat gestern durch mich erfahren. Andererseits: Ost- und Westkripo arbeiteten noch lange nicht normal zusammen, es gab nicht einmal ein Rechtshilfeabkommen.

»Ich werde Ihnen den Kerl, wie Sie ihn nennen, gern überlassen«, erwiderte ich vorsichtig. »Fragt sich bloß, ob Sie noch etwas mit ihm anfangen können.«

»Was soll das heißen?«

»Dass ich möglicherweise etwas Entscheidendes weiß, was Ihnen unbekannt ist. Aber da Sie es vorziehn, den starken Mann zu markieren, anstatt, sagen wir, mich als gleichberechtigt anzusehn und ein vernünftiges Gespräch zu führen, werden Sie es wohl selbst herausfinden müssen.«
Es war deutlich, dass der Mann sich besann. Er gab sich einen Ruck, kam um den Ledersessel herum und setzte sich.
»Sie sind gewiefter, als ich dachte. Also, was ist mit Iffka?«
»Ein Gedankenaustausch ohne Ihren Wachhund wäre mir lieber.«
Der »Wachhund« zog die Brauen hoch, und es sah aus, als wollte er zu bellen anfangen. Doch sein Chef scheuchte ihn mit den Worten hinaus: »Meinetwegen. Wart unten im Wagen auf mich, Bolte.«
Als er draußen war, sagte ich: »Ich wüsste auch gern, mit wem ich die Ehre habe.«
»Namen sind leere Brieftaschen. Nennen Sie mich Müller, wenn Sie sich dadurch besser fühlen.«
»Na gut, Herr Müller. Da Sie vorhin von Geschäften sprachen und von Iffkas Schulden, kombiniere ich jetzt mal, dass Sie Geld verleihen. Vielleicht nicht hauptberuflich, sondern nur zu besonderen Anlässen. Sie besitzen eine Ladenkette, einen Videoshop, Reisebüros, was weiß ich, und wollen Ihr Unternehmen erweitern. Grund und Boden erwerben, um in Kürze auch hier präsent zu sein. Liege ich richtig?«
Der Mann starrte mich an. »Worauf wollen Sie hinaus?«, fragte er.
»Ich möchte, dass Sie erfahren, was ich denke, damit wir uns verstehen. Und damit ich der Polizei nichts Falsches über Sie erzähle, falls Anfragen kommen. Vielleicht kann ich Sie entlasten.«

Mein Gegenüber sperrte die Augen auf. Es verschlug ihm die Sprache.

»Ich fahre also fort, Herr Müller. Boden zu erwerben, geht im Augenblick aufgrund bestimmter Gesetze noch nicht so direkt, und in ein paar Monaten ist die Konkurrenz erheblich größer. Iffka aber – das vermute ich mal – hatte ein Grundstück oder behauptete, eins auf seinen Namen erwerben zu können. Ende vorigen Jahres, als bereits klar war, dass so was bald ziemlichen Wert bekommt. Auf dieser Grundlage kamen Sie mit ihm ins Geschäft. In der ›Hexenbar‹, Sie oder einer Ihrer beiden Wachhunde haben die Gespräche geführt. Wo ist eigentlich Ecke, der andere, ist nicht er Ihre rechte Hand?«

»Geben Sie bloß nicht so an, Sie Denker«, erwiderte Müller böse, »und lassen Sie Ecke aus dem Spiel.«

»Wie konnten Sie sich nur derart hereinlegen lassen, Müller«, sagte ich fast fröhlich. »Sie halten sich doch bestimmt für einen cleveren Geschäftsmann. Nun werden Sie es schwer haben, Ihr schönes hartes Geld zurückzukriegen.«

Der Mann machte ein Gesicht, als wollte er mir den Nabel herausreißen. »Übertreiben Sie's nicht, kommen Sie endlich zur Sache«, zischte er.

»Offenbar sind Sie wirklich ahnungslos. Erik Iffka ist tot. Man hat ihn umgebracht. Schon vor ein paar Tagen.«

Er sprang auf und glotzte mich an. »Verdammt, das fehlte noch. Tot, wieso tot? Woher wollen Sie das wissen?«

»Nehmen wir an, von der Polizei«, erwiderte ich zurückhaltend. »Irgendwann wird sie auch bei Ihnen vorsprechen.«

»Damit habe ich nichts zu tun. Und meine Leute genauso wenig. Die Fünfzigtausend, gut …« Er unterbrach sich.

Ich tat, als hätte ich die Summe nicht mitgekriegt.

Obwohl – wie viel mochte Erik daraus gemacht haben. Hunderttausend, hundertfünfzig?
»Vor ein paar Tagen schon …«, wiederholte der Mann, der sich Müller nannte, meine Worte von vorhin. »Und wir sind hinter dieser kleinen Schlampe her, um endlich sein Versteck herauszubekommen! Wie hat man ihn erledigt? Weiß man schon, wer es war?«
»Da müssen Sie die Kripo fragen. Auf jeden Fall hat ihn eine Kugel erwischt. Sind Sie wirklich sicher, dass es nicht Eckes Spielzeug war? Ich hab ihn mit 'nem Messer herumfuchteln sehn. Vielleicht hatte er auch eine Kanone in der Tasche.«
So ganz schien Müller seinen Leuten doch nicht zu trauen, man sah deutlich, wie es hinter seiner Schädeldecke arbeitete.
»Für den Mörder könnte es sich gelohnt haben«, fügte ich hinzu. »Erik Iffka ist offenbar ausgeraubt worden.«
»Ach, Unsinn«, erwiderte Müller. »Ecke würde so was nie tun. Ich kenne ihn schon lange. Er ist für mich fast wie ein Sohn.« Aber seine Beteuerung kam sehr lasch heraus. Es ging um eine Menge Geld, und da erzählen ja bekanntlich auch Söhne ihren Vätern nicht alles.

14

Kaum war mein ungeladener Gast aus der Wohnung, stürzte Jeanette ins Zimmer. »Junge, hast du den abgekocht«, rief sie. »Ich hab jedes Wort mitgehört, der wurde ja immer kleiner. Anfangs hatte ich mächtige Angst um dich, ich dachte, sie nehmen dich auseinander. Schade, dass ich durchs Schlüsselloch nicht alles sehen konnte.«

»Du hast also am Schlüsselloch gehangen. Das fehlte noch, dass sie dich entdeckt hätten.«

»Ich hatte vorsichtshalber deinen Fleischklopfer parat. Den grünen aus der Schublade im Küchenschrank. Falls du Hilfe gebraucht hättest.«

O Gott, dachte ich, das hätte ja was werden können. Dennoch musste ich lachen. »Mucksmäuschenstill warst du jedenfalls. Das muss man dir lassen.«

»Pah, der Alte war so gefesselt, so darauf aus zu erfahren, was los ist, dass er gar nicht auf die Idee kam, nebenan könnte noch jemand sein. Außerdem ist es ja deine Wohnung.«

Das stimmte allerdings, ich musste ihr Recht geben.

»Was meinst du, was er jetzt tut?«, fragte sie.

»Ich denke, er wird sich Ecke vornehmen, falls er weiß, wo der steckt. Vielleicht auch noch mal die Knollennase.«

»Fünfzigtausend«, sagte Jeanette, »da würde ich an seiner Stelle genauso verrückt spielen.« Erst jetzt schien ihr die Höhe der Summe bewusst zu werden. »Aber er ist ja kein armer Mann, was?«

»Das brauchst du gewiss nicht zu befürchten.«

Sie schwang sich auf den Schreibtisch, schlug die Beine übereinander. »Glaubst du, dass es dieser Ecke gewesen ist?«

Vielleicht kam mir in diesem Augenblick zum ersten Mal der

richtige Verdacht; so ganz nebenbei huschte mir ein Gedanke durch den Kopf, den ich aber nicht festzuhalten vermochte. Außerdem hatte ich alle Hände voll zu tun, Jeanette davon abzubringen, direkt in den Fall einzusteigen. Sie hatte Feuer gefangen, wollte mir helfen, sich an der Aufklärung beteiligen. Ängstlich war sie nicht.

Schließlich gelang es mir, das Mädchen abzuschieben, indem ich eine Verabredung mit einem Kunden vortäuschte. Ein Mittagessen, das ich angeblich fast vergessen hätte. Ich musste mir eine Krawatte umhängen, um sie zu überzeugen. Auch das gute Jackett, hundert Prozent Baumwolle, dunkelblau mit dezentem Glimmereffekt, nahm ich demonstrativ aus dem Kleiderschrank. Sie hatte mir so etwas gar nicht zugetraut.

Als Jeanette gegangen war, startete ich einige vergebliche Versuche, per Telefon Verbindung zur Vorweg und zur Bellok aufzunehmen. Bei Rena hob wieder niemand ah, und nach Westberlin kam ich wie üblich nicht durch. Nun gut, dann musste ich eben einen sonntäglichen Ausflug unternehmen. Wenn ich noch etwas von den Tausendern meiner dicken Dame aufspüren wollte, war es höchste Zeit, und den Weg kannte ich ja schon.

In Zeiten großer Umbrüche, wenn alles in Bewegung und unsicher ist, sucht der Mensch mehr als sonst nach einem Halt, wer wollte ihm das verdenken. Bei manchem war das hier im Osten die Familie, bei anderen das Ersparte, dessen Zukunft allerdings gleichfalls ungewiss schien, die meisten aber klammerten sich einfach an das wacklige Prinzip Hoffnung. Was mich betraf, so hatte ich mir vorgenommen, stur auf den neuen Job zu setzen. Ich hatte nie ein Einzelgänger werden wollen, jetzt war ich's. Kein Kollektiv mehr, die Freundschaften von früher – im Winde verweht. Natürlich gab es erfrischende Abenteuer wie das mit Jeanette, aber schon morgen würde sie einem attraktiveren Jüngling zufallen. Das musste ich mir klar vor Augen führen und möglichst unbeschadet meinen Weg weitergehen. Kein Wolf unter Wölfen werden, kein Fuchs unter Hasen. Aber auch kein Hase unter Füchsen. Nicht der Dumme sein, doch anständig bleiben, wie man oft so leichthin sagt. Als ich den Grenzübergang Bornholmer Straße passierte, die Brücke querte, die bisher nur von Auserwählten und Rentnern betreten worden war, nahm ich mir das – nicht zum ersten Mal – fest vor.

Erneut die Stadtautobahn, Straßen, in denen ich mich bereits etwas besser auskannte als noch vor wenigen Tagen. Beim Haus der Bellok angekommen, hielt ich zunächst nach Renas Golf Ausschau, konnte ihn aber nicht entdecken. Das war kein Beinbruch, fast hatte ich es erwartet. Hauptsache, die Freundin selbst war da.

Mit der Haustür hatte ich Glück, sie war nicht eingeklinkt, sodass ich eintreten konnte, ohne die Wechselsprechanlage benutzen zu müssen. Ich stieg zur Wohnung hinauf und klingelte. Vorsichtige Schritte näherten sich innen – Ursula Bellok war anwesend.

»Was wollen Sie?« Renas Freundin hatte die Tür einen Spalt breit geöffnet und mich wiedererkannt. Sie ließ freilich die Kette vorgelegt.

»Mit Ihnen sprechen, Frau Bellok. Nach dem, was geschehen ist, sollten wir uns etwas ausführlicher unterhalten.«

»Wenn Sie Rena suchen, die ist diesmal wirklich nicht hier. Und ich selbst weiß nichts.«

»Dann lassen Sie uns feststellen, was Sie nicht wissen. Das bringt uns auch weiter.«

Sie zögerte, nahm aber schließlich die Kette weg. Im Gegen-

satz zum letzten Mal trug sie rötliche Jeans und eine exotisch bedruckte Bluse. In ihrem Boudoir hatte sich nichts verändert, der hohe Spiegel, der weiße Kleiderschrank, die Samtvorhänge verbreiteten einen Hauch Romantik. Aufgeräumter wirkte das Zimmer gleichfalls nicht, lediglich der Zigarettenrauch war weniger dicht, und im Aschenbecher lag nur eine Sorte Kippen.
»War die Kripo schon bei Ihnen?«
»Nein. Wieso?« Sie tat, als käme sie aus dem Einweckglas.
»Es hat keinen Zweck, Versteck zu spielen, Frau Bellok. Mag sein, dass die Polizei noch nicht auf Ihre Spur gestoßen ist. Die Verbindung zwischen dort und hier klappt ja kaum besser als das Telefonieren. Mir aber brauchen Sie nichts vorzumachen. Sie sind zu nahe an Rena dran. Waren mit ihr und möglicherweise sogar mit Erik Iffka noch an seinem letzten Lebenstag zusammen.«
Sie protestierte heftig. »Nein, das war ich nicht. Ich hab ihn zuletzt vor der Imbissstube gesehen, genau wie Sie, ich schwör's.«
Sie hatte immerhin zugegeben, dass sie von Iffkas Tod wusste. Ich fragte: »Wann und wie haben Sie es erfahren?«
»Gestern durch Rena. Die dachte schon, der Olle – Verzeihung, Erik – sei zu seiner dicken Maschine zurück, sei schwach geworden. Obwohl uns das gewundert hätte. Aber dann kam Joke zu ihr und hat's erzählt. Bei dem waren die Bullen.«
»Wer ist Joke?«, fragte ich verblüfft.
»Na, ihr Freund. Der richtige. Aus ihrem Haus.«
»Dieser Kerl etwa, der Designer mit der Lockenpracht? Der die Modellkleider entwirft?«
»Ja, der. Was quetschen Sie mich aus, wenn Sie's ohnehin

wissen«, erwiderte Ursula Bellok leicht aufmüpfig. Kehl hing demnach doch drin. Ich hatte es vermutet, zumal das Fuchsgesicht so eine Andeutung gemacht hatte, dann aber angenommen, Rena handle trotzdem auf eigene Faust. Da selbst ihrer Nachbarin Jeanette nichts aufgefallen war. Bei Gelegenheit würde ich es dem Mädchen unter die Nase reiben.
Jedenfalls ergaben sich nun neue Zusammenhänge. »War's Kehl, der mir kürzlich eins über den Schädel gegeben hat?«, fragte ich.
»Nein«, erwiderte sie kleinlaut, »das war Pat, mein Bruder. Wir wollten nicht, dass Sie uns das Geschäft verderben.«
Es war großartig. Alle Leute machten Geschäfte mit Iffka, und alle wollten, dass ich ihnen nicht in die Quere kam. Dabei waren sie kein bisschen zimperlich. Ein Knüppelschlag, der einen erwachsenen Mann in die ewigen Jagdgründe befördern konnte, war durchaus eingeplant.
»Was war das für ein Geschäft?«, fragte ich. »Hat es wenigstens etwas eingebracht?«
Sie nahm sich nervös eine Zigarette, griff zum Feuerzeug. »Geschäft sagt man doch nur so. Erik und Rena wollten nicht, dass man ihnen nachspioniert. Der Hieb, den Sie abgekriegt haben, war ein bisschen derb, das gebe ich zu. Es tut mir echt leid.«
»O ja, es tut Ihnen leid, und im Übrigen ist alles so harmlos. Ein Pärchen, dessen trauliches Versteck man behüten muss. Sie haben bloß eins vergessen, dass es sich nämlich nicht um Liebe, sondern um ziemliche Beträge handelt. Dass Erik Iffka ergaunertes Geld hatte und Rena ihm das im Verein mit Kehl abjagen wollte. Jetzt, nachdem der Goldesel tot ist, könnte es durchaus sein, dass Ihre Freunde ihn beerbt haben. Sie selbst aber haben Ihren Anteil bekommen – das ist das Geschäft!«

»Nein!« Sie schrie es fast, packte mich beim Arm. »So ist es nicht, Pat und ich haben mit dem Verbrechen nichts zu tun!«
Ich befreite meinen Arm. »Machen Sie mir doch nicht weis, dass Sie beide Rena völlig selbstlos geholfen haben«, erwiderte ich kühl.
»Wir haben nur die Wohnung vermittelt, in der Erik eine Weile bleiben konnte. Die Provision, die wir bekamen, war nicht der Rede wert. Er wollte ja weiter, nach Stuttgart oder in die Schweiz, das lag bloß nicht in Renas Interesse.«
Ich sagte: »Das kann ich mir vorstellen. In Kehls und Ihrem Interesse lag es aber sicherlich auch nicht. Und da hätten wir gleich ein schönes Motiv für den Mord. Er wollte weg, Sie alle wollten das Geld, und ein Schießeisen fand sich.«
Die Bellok zog hastig an ihrer Zigarette. »Mag schon sein, dass Ihnen das logisch erscheint, doch Sie irren sich. Hier jedenfalls werden Sie kein Schießeisen entdecken.«
»Gut, dann suchen wir woanders. Am besten, wir lassen uns die Sache von Rena erklären. Ziehn Sie etwas über, draußen ist es kühl. Zwar fahren wir mit dem Wagen, aber vielleicht müssen wir ja noch ein Stück laufen.«
Ich hatte sie an dem Punkt, wo ich endlich weiterkommen konnte. Ursula Bellok war das schwächste Glied in der Kette, das musste genutzt werden. Sie fragte noch scheinheilig: »Wo wollen Sie mit mir hin, um Himmels willen, rüber nach Ostberlin?«
»Aber nein, doch nicht so weit«, gab ich zur Antwort. »Führen Sie mich in die Wohnung, die Sie Erik Iffka vermittelt haben und die jetzt wahrscheinlich von Rena Vorweg belegt ist. Das genügt.«

15

Es war klar, dass die junge Frau keine Freude dabei empfand, mit mir jenen Ort anzusteuern, von dem bisher nur die wenigen Eingeweihten wussten. Aber nach dem, was zuletzt geschehen war, traute sie sich auch nicht, es abzulehnen. Sie saß neben mir im Wagen, starrte vor sich hin und presste die Hände gegeneinander. Sie war blass im Gesicht, und der Glitzerschmuck um ihren Hals fehlte. Sie gab mir Hinweise, wie ich zu fahren hatte. Einmal sagte sie: »Bestimmt verhält sich alles ganz anders, als Sie glauben. Die beiden Kerle werden es gewesen sein, die von neulich, vor der Imbissstube. Sie selbst haben uns ja erzählt, dass die Erik schnappen wollten.«
»Schon möglich, dass sie beteiligt waren. Es wird sich herausstellen.«
»Sie halten mich und Rena vielleicht für raffiniert, aber wissen Sie überhaupt, was Erik für ein Gauner war?«
»Das eine entschuldigt das andere keineswegs«, erwiderte ich.
»Wissen Sie's oder nicht?«
Ich warf ihr von der Seite her einen Blick zu. Sie war im Begriff, sich aufzuregen, und das machte sie mir fast sympathisch. »Ungefähr schon. Er versuchte den Leuten Grundstücke anzudrehen, die er nicht besaß. Anscheinend hat er mit diesem Trick Kohle gemacht.«
»Er hat zehn Berufe gehabt. War Nachtwächter und dann Materialverwalter in einem kleinen Betrieb. Ist geflogen, weil er Ersatzteile verschob. Hat Boote vermietet, mit Alteisen gehandelt, war Hausmeister in einem Altersheim. Hat's nirgendwo lange ausgehalten und überall krumme Dinger gedreht, aber ihm ist kaum was passiert. Mal 'ne Geldstrafe, sagt Rena. Muss irgend 'nen guten Freund oben gehabt ha-

ben, in der Verwaltung, beim Gericht. Und seine Alte, die fette Tussi, ist mit allen Wassern gewaschen. Jetzt aber, plötzlich, hat er von der Wende profitiert. Von all dem Wirrwarr. Hat geschoben, getauscht und mächtig Knete eingestrichen. ›Man muss gewitzt sein, sich auf die neuen Gegebenheiten einstellen – ein Mann wie ich konnte sich bisher doch nicht entfalten.‹ Da hat Rena sich eben auf ihn eingestellt und sich gleichfalls entfaltet. Auf ihre Weise. Das find ich durchaus gerecht.«

»Sie hat sich entfaltet, indem sie sich mit so einem widerlichen Kerl, mit so einem Gauner ins Bett legte. Und ihr Freund, der Designer, findet das in Ordnung, macht das mit, stachelt sie noch an. Tut ihr denn für Geld alles?«

»Ich selbst hätte es ja nicht fertiggebracht«, erwiderte die Bellok, erneut kleinlaut geworden, »aber Rena ist in dieser Hinsicht ziemlich frei. Außerdem hat sie versucht, ihn kurzzuhalten.«

Wir waren angelangt. Eine vornehme Gegend und gewiss nicht billig. Ich sagte noch: »Sie hat versucht, ihn kurzzuhalten, wie schön. Na, lassen wir's. Trotzdem versteh ich eins nicht. Kehl ist doch angeblich ein begabter Künstler und Rena, könnte ich mir vorstellen, ein gutes Modell. Rollt da die Mark nicht, ohne dass man jemanden ausnehmen muss?«

»Joke ist längst nicht mehr, was er mal darstellte«, erwiderte sie. »Vor ein paar Jahren, als ich noch drüben war, schien er groß rauszukommen, doch ihm gingen die Ideen aus. Es war nicht bloß seine Schuld. Er war eigenwillig, und die Begabten wurden oft gestutzt, das wissen Sie selbst. Rena aber, na ja … Die Konkurrenz ist groß. Mit der Knete wollten sie neu anfangen.«

Ursula Bellok schwieg, und wir stiegen aus. Relative Stille, ein Teich neben dem schmalen, asphaltierten Weg und der Parkstelle, auf der wir angehalten hatten. In der Mitte des Gewässers ein Entenhäuschen und vor noch winterdürrem Schilf einige Blesshühner. Dahinter ein Streifen Mischwald, schmutziggrüne Nadelbäume und blattlose Birken. Rechts, in weitgedehnten Gärten verstreut, villenartige Häuser. Oleanderbüsche und Buchsbaumgewächse, meist wie abgezirkelt. Das Gebäude, dem wir zustrebten, war schon älter und weniger prunkvoll, doch schien es gut erhalten.

»Der Hausbesitzer ist zur Zeit in Australien, es war eine günstige Gelegenheit, sich einzumieten«, erklärte Ursula Bellok, und das glaubte ich diesmal gern. Wahrscheinlich war der Mann froh gewesen, jemanden zu haben, der in seiner Abwesenheit auf das Haus aufpasste. Da hatte er ja die richtigen Untermieter gefunden.

Das Gartentor war verriegelt, und ich hinderte die junge Frau daran zu läuten – ich wollte Rena Vorweg überraschen. Wir gingen am Zaun entlang, bis ich eine Stelle fand, wo er zu überwinden war. »Sie kommen mit«, sagte ich zu meiner Begleiterin, »ich will die Garantie haben, dass ich nicht ein zweites Mal in die Irre geführt werde.«

Sie leistete keinen Widerstand, wollte jetzt vielleicht selbst wissen, was Rena zu berichten hatte. Die Freundin allerdings schien nicht da zu sein. Im Haus war alles ruhig, und die Tür vorn verschlossen. »Der Anbau seitlich ist es«, flüsterte die Bellok, »es gibt einen gesonderten Eingang.«

Wir gingen zu dem Anbau, und ich hatte das Gefühl, gleich eine Überraschung zu erleben. In Filmen springt einem bei solchen Gelegenheiten von irgendwoher eine Katze ins Gesicht, oder ein Vogel schwirrt am Kopf vorbei. Doch nichts dergleichen geschah, nicht einmal ein Tor knarrte. Verwun-

derlich war dennoch etwas – die Seitentür stand halb offen.
»Aber das macht Rena nie, dass sie die Tür auflässt, wenn sie oben ist«, sagte meine Begleiterin leise, »und wenn sie aus dem Haus geht, schließt sie erst recht ab.«
»Vielleicht ist sie bloß um die Ecke, was einkaufen.«
»Glaub ich nicht. Das Ganze kommt mir verdächtig vor.«
Ich gab keine Antwort, öffnete die Tür etwas weiter. Eine Treppe wand sich nach oben. »Da hinauf?«
Ursula Bellok nickte.
Obwohl es mitten am Tag war, drang nicht viel Licht von draußen herein. Die Treppe lag im Halbdunkel, daneben lehnten an der Wand ein paar Gartengeräte. Ein kunstvoll geschnitztes Geländer, die Stufen gleichfalls aus Holz und schon etwas abgetreten. »Ist jemand zu Hause?«, fragte ich nach oben, doch niemand antwortete. Ich stieg vorsichtig hinauf, während Renas Freundin unten stehen blieb.
Die Treppe endete in einem Podest, von dem ein kurzer Flur und zwei weitere Türen abgingen. Die eine war zu, die andere aber stand weit offen und gab den Blick auf ein wildes Durcheinander frei. In einem großen, komfortabel eingerichteten Zimmer waren die Schränke geöffnet, die Schubladen herausgerissen, die Stuhlsessel umgeworfen worden. Eine Stehlampe lag zerbrochen neben einem Rauchtischchen, aus dem umgekippten Papierkorb quollen Zettel und Zeitungen. Im eichenen Bücherschrank mit Klassikerausgaben von Goethe, Schiller und Storm war eine Glasscheibe zerschlagen. Es sah schlimmer aus als damals, nach der Prügelei, in der Wohnung meiner dicken Dame.
»Ach du Schreck, was ist denn hier los«, sagte hinter mir Uschi Bellok, die es nicht fertiggebracht hatte, unten zu warten.

»Hat Erik Iffka hier gewohnt?«, fragte ich.
»Ja, in diesen beiden Zimmern«, sie deutete auf eine Zwischentür und einen sich anschließenden Raum. »Rena natürlich gleichfalls, aber die war nicht so oft da, wie Sie vielleicht glauben.«
Wir wandten uns dem zweiten Zimmer zu, das kleiner war und einfacher ausgestattet. Auch hier hatte jemand herumgewühlt, Wäsche aus Fächern gerissen, Dosen umgekippt. Ein Telefonapparat, von einem Tischchen gestoßen, klemmte halb zwischen einem Stuhl und der Wand.
Ursula Bellok rannte zu diesem Telefon und stellte es auf den Tisch zurück, als ob dies das Wichtigste sei. Dann kniete sie sich nieder und wollte aufräumen. Ich hinderte sie daran: »Stopp, nichts verändern.«
»Wieso, glauben Sic ctwa, dass der Mörder …«
»Auf jeden Fall hat hier jemand etwas gesucht und möglicherweise das, was bei Iffka selbst nicht zu finden war, nachdem man ihn erschossen hatte. Ich könnte mir sogar denken, um was es sich handelt.«
»Um was denn?«, fragte sie.
Ich zuckte nur die Achseln und rieb Daumen und Zeigefinger gegeneinander. Dann begann ich mich im Raum umzusehen. Ich bemerkte nichts, was mir einen Hinweis geben konnte.
In diesem Moment ertönte im Haus Gepolter, und ein Stöhnen war zu hören.
Ursula Bellok erstarrte. »Was war das?«
Ich rannte zurück zur Treppe, riss die gegenüberliegende Tür auf – nichts. Eine Besenkammer: Friedlich standen Eimer und Körbe am Boden; in einem Regal befanden sich Obstkonserven.

Ein erneutes, leiseres Poltern: Der kurze Flur, und am Ende eine dritte Tür, die Geräusche kamen von dort, aus dem Badezimmer.

Es war Rena Vorweg, man hatte sie zum Bündel verschnürt und ihr den Mund verklebt. Außerdem war sie mit einem Strick ans Klobecken gebunden worden, weiß Gott keine angenehme Lage. Sie hatte uns kommen hören und einen Abfallbehälter umgestoßen, um sich bemerkbar zu machen.

Trotz ihrer misslichen Situation schien Rena von meinem Auftauchen keineswegs begeistert. Nachdem wir sie vom Heftpflaster und den Stricken befreit hatten, brauchte sie zwar einige Zeit, um sich zu erholen, fragte ihre Freundin dann aber mürrisch: »Hast du den hierhergeschleppt?«

»Alles ist so furchtbar«, gab die Bellok zur Antwort, »was ist passiert, was wollten die von dir?«

Rena saß im ersten der durchwühlten Zimmer benommen auf einer Liege und hielt sich den Kopf. Sie trug relativ anspruchslose Kluft, einen schwarzen Pulli ohne jeden Schnickschnack und eine Jeanshose. Der Pullover war aus der Hose gerutscht und gab am Bauch einen Streifen Haut frei. Sie achtete nicht darauf.

»Ich hab ihn überrascht«, sagte sie. »Weiß nicht, wie er reingekommen ist, vielleicht durchs Kellerfenster. Ich war ahnungslos. Ich kam die Treppe hoch, und plötzlich stand er da. Wie aus dem Erdboden gewachsen. Erst dachte ich, das Schwein will mich vergewaltigen, ich brüllte ihn an, doch er gab mir nur eins aufs Maul.« Sie wies auf ihre aufgeplatzte, blutverkrustete Oberlippe.

»Aber wer war das, was wollte er?«, drängte Uschi Bellok erneut.

»Weiß ich doch nicht. Er war vermummt, hatte so einen

schwarzen Pudel mit Augenschlitzen übers Gesicht gezogen. Klaun wollte er, Geld, nehm ich an. Aber er konnte nichts finden, es ist nichts mehr da. Nicht das Geringste.« Sie verstummte.

Nichts *mehr*, dachte ich, fragte jedoch: »Es war nur einer?«

»Ja, Herr Detektiv. Und keiner von den beiden neulich, falls Sie da was kombinieren wollen. Ich glaub's wenigstens nicht. Die hab ich anders in Erinnerung.«

»Vielleicht war es Eriks Mörder, Rena«, flüsterte die Freundin. »Vielleicht wollte er auch dich umbringen.«

»Unsinn, dafür gibt's keinen Grund. Und überhaupt, weshalb hat er's dann nicht getan«, erwiderte Rena zugleich knurrig und nüchtern. »Eine bessere Gelegenheit konnte er doch gar nicht bekommen.«

16

Die Argumentation Renas war einleuchtend, dennoch mochte ich nicht glauben, dass der Einbrecher rein zufällig in dieses Haus eingedrungen war, noch dazu in diesen Anbau. Einen Augenblick lang dachte ich an ein Manöver, einen Trick. Kehl, ihr Freund und Komplize, konnte die Unordnung hergestellt und sie mit ihrem Einverständnis gefesselt haben, um den Mordverdacht von ihr zu nehmen. Oder um Eriks Geld unbeschadet in eigenen Besitz zu bringen. Aber dann hätte er bestimmt anonym die Polizei benachrichtigt, denn sie wussten ja nicht, wann jemand an diesem abgelegenen Ort auftauchen würde. Viel zu lange hatte Rena hilflos im Bad gelegen. Sie gab an, am Morgen hierhergekommen zu sein. »Zwei Tage hab ich mich hier nicht sehen lassen, und nun das!«

Etwas stimmte nicht, doch es fiel mir schwer, herauszufinden, was es war. Es mochte schon sein, dass sich alles so abgespielt hatte, wie sie es schilderte, aber dass sie seit Freitag nicht hier gewesen war, schien mir gelogen. Der Gangster, der sie zum Paket verschnürt hatte, konnte kein Geld finden, weil nichts mehr da war, hatte sie vorhin behauptet. War das ein ungewolltes Eingeständnis? Hatte sie Iffkas Räume, in denen sie sich bis dahin vielleicht nur flüchtig aufhielt, selbst nach dem verschwundenen Bargeld durchsucht und es in irgendeinem Versteck gefunden? Hatte sie es weggebracht, an sicherem Ort deponiert und war noch einmal zurückgekehrt, um Ordnung zu machen? Meine Gedanken sprangen, schlugen Haken, meine Phantasie galoppierte. »Was haben Sie eigentlich damals gemacht, Frau Vorweg«, fragte ich, »am Mittwoch, nachdem Erik vor der

Pommes-Stube weggelaufen war? Haben Sie sich mit ihm getroffen?«

»Nein, wir haben ihn nicht mehr gesehen, stimmt's, Uschi?« Die Antwort kam schnell.

Uschi nickte eifrig. »Ich hab es Herrn Krey schon gesagt. Und ich glaube auch, Erik war gar nicht mehr hier.«

»Und Sie, Rena, sind auch noch nicht von der Kripo vernommen worden?«

»Aber weshalb denn. Ich bin doch nicht interessant für die Bullen.« Rena leckte sich die Lippe.

»Na, na, na. Ich an Ihrer Stelle würde mich schon mit der Polizei in Verbindung setzen, bevor sie zu mir kommt. Das macht einen besseren Eindruck. Und nachdem noch das hier geschehen ist ...«

Sie zuckte die Schultern. »Könnten Sie uns jetzt vielleicht in Frieden lassen? Schön, Sie haben mich gefunden und losgebunden, aber nur, weil Sie hinter mir herschnüffeln. Ich hab Ihnen erzählt, was passiert ist, wir sind quitt. Ich bin ziemlich kaputt, muss mich ausruhn.«

»Ich könnte Ihnen beim Aufräumen helfen«, sagte ich spöttisch.

Sie wollte eine gewiss scharfe Antwort geben, da schrillte das Telefon, das also noch intakt war. Bevor sich eine der Damen erhoben hatte, war ich schon im Nebenzimmer, hielt den Hörer ans Ohr. Eine näselnde Stimme flüsterte: »Verdammt, Rena, wo steckst du denn? Ich ruf zum dritten oder vierten Mal an. Wie sieht's aus?«

Es gab bestimmt nicht viele, die diese Telefonnummer kannten, und die Stimme war kaum zu verwechseln, auch wenn man sie nur einmal gehört hatte. Ich erwiderte: »Nicht besonders gut, Herr Kehl. Ihre Freundin ist überfallen worden.

Sie hat Glück gehabt, lag zwar ein paar Stunden als unfrankiertes Päckchen im Bad, doch sie ist ja zäh, sie hat's ohne großen Schaden überstanden. Trotzdem hängt sie ein bisschen durch.«

Die beiden Frauen waren mir gefolgt, und Rena versuchte, mir den Hörer zu entreißen. Sie entwickelte schon wieder ziemliche Kräfte. Sie zischte: »Geben Sie her, was fällt Ihnen ein!«

Der Mann am anderen Ende der Leitung blieb stumm, offenbar hatte es ihm die Sprache verschlagen. Während ich die Angriffe der Frau abwehrte, rief ich: »Sind Sie noch da, Herr Kehl? Sie brauchen sich wirklich keine Sorgen zu machen. Rena hat mir erzählt, dass der Einbrecher nichts hat mitgehen lassen. Er hat ganz umsonst alles auf den Kopf gestellt. Das Geld, das er wahrscheinlich gesucht hat, war nicht mehr da, behauptet sie.«

»Wer sind Sie?«, fragte Kehl wütend. »Was machen Sie … dort?«

»Ich bin Gunther Krey, der Detektiv, der Anfang der Woche in Ihrem Haus war. Wir haben auf der Treppe miteinander gesprochen.«

Ich kam nicht weiter, denn nun fing Rena an zu kratzen, und ich überließ ihr doch lieber den Hörer. Ursula Bellok sperrte die Augen auf, sie wusste nicht, wie sie sich verhalten sollte.

»Ich bin für klare Fronten«, sagte ich zu ihr. »Er soll ruhig wissen, dass seine Trümpfe nicht mehr stechen.«

Aus dem Hörer klang die aufgeregte Stimme Kehls. Rena, nun ruhiger, entgegnete, indem sie mich böse anstarrte: »Er ist unverschämt und drängt sich ständig dazwischen, aber was er sagt, ist richtig. Ich bin wirklich überfallen worden. Hier, im Haus. Nein, ich weiß nicht, wer es war. Es ist wie

verhext, einfach zum Heulen. Aber ich muss jetzt Schluss machen, ich erklär dir nachher alles.« Sie legte auf.
»Meinetwegen hätten Sie das Gespräch nicht abzubrechen brauchen«, bemerkte ich, »unsereins hat Geduld.«
»Verdammt, ich kann nicht mehr!«
»Sie sollten Rena jetzt wirklich in Ruhe lassen«, beschwerte sich nun auch ihre Freundin.
»Schon gut, aber wir sind noch nicht fertig miteinander. Falls ihr doch noch etwas über den Kerl einfällt, der sie so freundlich verpackt hat, sollte sie's mich wissen lassen. Wäre vielleicht in ihrem Interesse.« Und ich verließ die Wohnung. Allerdings ging ich nicht endgültig aus dem Haus, schaute mich vielmehr vorher noch einmal im Bad um. Die Stricke stammten wahrscheinlich aus der Besenkammer, die Klebestreifen über dem Mund aus der Hausapotheke, die sich hier befand. War der Mann also doch überraschend eingedrungen, hatte den Einbruch nicht geplant? Die Maske vor dem Gesicht sprach dagegen. Möglicherweise hatte er nur nicht mit Rena gerechnet. Ich hätte viel darum gegeben, wie früher einen Kriminaltechniker dabei zu haben, der die Spuren genau auswerten konnte, doch meine Möglichkeiten waren begrenzt.
Ich fuhr nach Hause. Ich versuchte, Brinke anzurufen, aber nur seine Frau war da. Ich hatte das Gefühl, etwas essen zu müssen, öffnete ein Glas mit Bockwürsten, stellte heißes Wasser auf. Nach dem Abendbrot schaute ich mir dann im Fernsehen einen Film über Frankreich an. Die Normandie, der Ärmelkanal, Badeorte mit prächtigen Ferienhäusern und Menschengewimmel, Segelboote – sie bereiteten die Zuschauer wohl schon auf die Urlaubssaison vor. Etwas zeitig, fand ich, doch es machte Lust, hinzuschaun. Ein paar

Wochen Frankreich, das wäre im Sommer wirklich nicht schlecht.

Da die vorige Nacht nur kurz gewesen war, wurde ich schnell müde und schlief traumlos bis zum Morgen. Gegen neun kam meine Mutter vorbei, um nach dem Rechten zu sehen. Mutter war vor kurzem Rentnerin geworden und sehr besorgt um mich, seit ich, wie sie meinte, alles verloren hatte. Die Trennung von Ingrid, die manchmal freilich noch bei ihr vorbeischaute, machte ihr mindestens genauso zu schaffen wie mir.

Mutter brachte die Nachricht mit, im Kasten unten stecke ein Brief. Sie drängte mich, ihn hochzuholen, und er erwies sich als eine Aufforderung der Kripo, mich bei Kriminalrat Emden einzufinden. Es war eine fast höfliche Epistel, Emden fürchtete in diesen unsicheren Zeiten wohl um seinen Posten und war vorsichtig im Umgang mit Leuten wie mir.

Der Brief musste am frühen Morgen eingeworfen worden sein, vielleicht eilte es nicht ganz so sehr, dennoch wollte ich bald ins Präsidium, ich war selbst daran interessiert, Neuigkeiten zu erfahren. Ich schwatzte noch eine halbe Stunde mit Mutter, dann überließ ich ihr das Feld. Bei der Kripo angelangt, steckte ich den Kopf kurz in Brinkes Zimmer, doch er versicherte mir erneut, in der Sache Iffka keine Informationen zu haben, mit anderen Dingen befasst zu sein. Ich bat ihn trotzdem, für mich die Ohren offen zu halten. Emden selbst war überrascht, dass ich so prompt reagierte, und umgänglicher als das letzte Mal. Er kam auch schnell zur Sache. Ob das die beiden Kerle wären, die Erik Iffka verfolgt hätten; er zeigte mir die Fotos von Ecke und der Knollennase. Ich bestätigte ihm das, und er vertraute mir an, dass er »drüben« inzwischen um Hilfe bei der Fahndung nachgesucht habe.

»Und«, fragte ich, »hat es etwas gebracht?«
»So flott geht das nicht, aber sie haben Unterstützung zugesagt.«
»Wenn die beiden ihn umgebracht haben, sind sie inzwischen längst über alle Berge.«
Er zuckte die Achseln; es sollte wohl heißen, mit diesen Dingen müssen wir leben. Dann sagte er: »Mit Frau Iffka haben wir inzwischen gesprochen, diese Rena Vorweg allerdings bisher nicht zu Hause angetroffen. Nur ihren Freund. Aber es gibt noch andere Spuren.«
»So?«, erwiderte ich, bemüht, kein zu deutliches Interesse zu zeigen.
»Der da soll eine Weile befreundet mit ihm gewesen sein.« Er schob mir erneut ein Foto über den Tisch, schaute mich lauernd an.
Ich hatte Mühe, meine Überraschung zu verbergen.
»Kennen Sie ihn?«
»Warten Sie. Ich glaube, ja. Ich hab schon mal mit ihm gesprochen.«
»Hans-Ulrich Preilberg. Kein unbeschriebenes Blatt! Er könnte der Mann sein, der uns den Mord mitgeteilt hat. Und falls er es war …«
Seine Vermutung war falsch, keiner wusste das besser als ich, dennoch hielt meine Verblüffung an.
»Sein Alibi für die Tatzeit jedenfalls ist wacklig«, sagte der Kriminalrat befriedigt.
»Wann genau wurde die Tat begangen?«
Er überlegte, ob er mir diese Information überlassen sollte, und entschloss sich letztendlich dazu. »Soweit wir feststellen konnten, bereits in der Nacht zum Donnerstag. Am Morgen, so zwischen drei und vier.«

»Die Tatwaffe?«

»Wenn wir die hätten, wären wir klüger. Aber jetzt ist's genug, ich hab Sie nicht hergebeten, damit Sie mich ausfragen, sondern umgekehrt.«

»Die Polizei weiß eben leider sehr viel mehr als unsereins, sie hat andere Möglichkeiten«, erwiderte ich scheinheilig.

17

Ein Mordverdacht lässt sich nicht von irgendeiner Freundschaft ableiten, sei sie auch noch so obskur, ränkevoll, verschwiegen und was sonst alles. Eine Befragung durch die Kripo im Haus dieses Preilberg, dem ich bereits begegnet war, den ich kannte, hatte ergeben: Iffka war am Mittwoch dort von Nachbarn gesehen worden. Gegen Abend – daran schien es keinen Zweifel zu geben, und daran hakte sich der Kriminalrat auch fest.
Im Übrigen war Emden am Ende unseres Gesprächs zugeknöpft gewesen, hatte mir Preilbergs Adresse vorenthalten. Aber da gab es ja noch andere im Haus, ich war nicht auf ihn oder Brinke angewiesen. Ich trank mit Lisa, der Sekretärin von der ehemaligen Kriminaltechnik, eine Tasse Kaffee, schaute bei Sarella vorbei, mit dem zusammen ich den einen und anderen Einsatz durchgeführt hatte, und erfuhr, was ich wissen wollte. Zu überlegen war nur, wie ich am besten vorging.
Ich entschloss mich für den direkten Weg: Warum dem Mann nicht auf den Zahn fühlen? Wenn ich auch nicht sagen konnte, dass er mich an der Nase herumgeführt hatte, so hatte er sich mir gegenüber auf jeden Fall verstellt. Getan, als habe er nie von Erik Iffka gehört. Hans-Ulrich Preilberg, der Cocktailtrinker, der Dauergast aus der »Hexenbar«. Der rothaarige große Typ mit dem Fuchsgesicht, der Kerl, den die Bardame dort nur Ulli genannt hatte!
Die Lottumstraße im Stadtbezirk Prenzlauer Berg. Mit schmucklosen Altbauten besetzt und ohne alles Grün, wirkte sie nicht gerade einladend. Sie fügte sich in eine eher triste Wohngegend ein, die aber wegen ihrer Nähe zum Zentrum

in Zukunft wahrscheinlich trotz allem begehrt sein würde. Hier und da Baugerüste, Kieshaufen und große Mörteltröge, die auf Renovierung hindeuteten. Tatsächlich waren auch ein paar Maurer beim Verputzen einer Fassade zu entdecken. Entlang der Bürgersteige parkten die üblichen Autos: Trabis, ein weißer und ein gelber Wartburg, ein Lada in Blau. Auch einige Westmodelle mit zumeist roter Übergangsnummer standen da.

Ein Haus mit einem schweren, blechbeschlagenen Tor, das sich knirschend öffnete, als ich dagegen drückte. Die Wohnungstafel innen über den Briefkästen war noch intakt, und so fand ich heraus, dass der Gesuchte im hinteren Seitenflügel ganz unterm Dach hausen musste. Solche Unterkünfte hatten in der Vergangenheit meist als schwer vermietbar gegolten. Wie auch immer, ich überquerte den Hof mit den Mülltonnen und zwei liebevoll eingezäunten kahlen Bäumchen, betrat den entsprechenden Hausflur und stieg die Treppe hinauf.

Ich hatte mir einen Plan zurechtgelegt, ein paar Fragen, falls ich meinen Mann antreffen sollte, aber ob ich ihn antraf, war natürlich ungewiss. Es war ein Versuch, wie das meiste in meinem neuen Beruf, und im Übrigen hoffte ich auch auf die Nachbarn, die ja der Kripo Auskunft gegeben hatten. Auf der Treppe allerdings war es wohltuend ruhig, viele Leute schienen um diese Zeit nicht zu Hause zu sein.

Von oben kam mir ein kleines Mädchen entgegen, sieben oder acht Jahre alt. Ein kesses Ding, sie versperrte mir den Weg, indem sie die Arme ausbreitete. »Halt, hier darfst du nicht durch.«

»Ich muss aber«, erwiderte ich lächelnd.

»Zu wem willst du?«

»Das kann ich dir nicht verraten.«

»Ich weiß es auch so«, sagte die Kleine.

»Du weißt es?«

»Ja, du willst zu Peters Vater.«

»Warum denn zu Peters Vater?«, fragte ich verblüfft. »Weil sie alle zu ihm wollen. Die Polizei, die Tante vorhin, eben alle.«

Mir kam der Verdacht, dass die Kleine durchaus richtig geraten haben konnte – warum sollte es in der Familie Preilberg keinen Peter geben. Obwohl: Nach Familie hatte Ulli nicht ausgesehen. Da das Mädchen nun den Weg freigab, stieg ich an ihr vorbei nachdenklich weiter nach oben. Kein Namensschild war zu entdecken, keine Klingel, doch nach der Informationstafel musste es hier sein. Ich klopfte.

Drinnen klappte eine Tür. Musik, nicht ganz so laut wie bei dem Alten mit dem Birnenkopf, klang auf, Schritte näherten sich. Eine jugendliche Stimme fragte: »Flippe, bist du's? Was willst du schon wieder?«

»Hier ist nicht Flippe, sondern ein Bekannter deines Vaters. Ist er zu Hause?«

Die Tür ging auf, und ein großgewachsener, etwa fünfzehnjähriger Bengel schaute durch den Spalt, beäugte mich misstrauisch. Die Ähnlichkeit mit dem Fuchsgesicht war nicht zu verkennen.

»Mein Vater ist nicht zu Hause. Wer sind Sie? Ich hab Sie noch nie gesehen.«

»Musst du mich unbedingt schon mal gesehen haben? Kennst du alle Leute, mit denen dein Vater oder deine Mutter zu tun haben?«

Bei dem Jungen hatte ich offensichtlich einen allergischen Punkt berührt.

Er zischte mich an: »Lassen Sie meine Mutter aus dem Spiel.

Die lebt längst nicht mehr bei uns. Wir sind geschieden.«
»Gut, in Ordnung, so genau kenn ich mich bei euch nicht aus. Trotzdem muss ich mit deinem Vater sprechen. Geschäftlich.«
»Na, wenigstens kein Bulle«, erwiderte der Bengel.
»Wieso? Habt ihr was ausgefressen?«
Der Junge ging auf diese Frage nicht ein. »Ulli arbeitet noch«, sagte er, und dieser Name klang aus seinem Mund sonderbar. »Er jobbt im Kabelwerk, ist frühestens nach vier wieder da. Manchmal kommt er aber auch erst abends. Sie müssen's halt später noch mal versuchen.« Und er schloss mir die Tür vor der Nase.
»He, nicht so schnell«, ich klopfte erneut.
»Was ist denn noch?«, kam die Stimme von innen.
»Hast du 'ne Telefonnummer von deinem Vater? Aus dem Betrieb? Vielleicht kann ich ihn vorher erreichen.«
»Der Fuhrhof oder das Lager. Müssen Sie sich durchfragen.«
Die Tür klappte, ich war endgültig abgefertigt. Ganz schön ruppig, der junge Mann. Meiner hätte es nicht sein dürfen. Aber ich hatte ja bisher weder Sohn noch Tochter zusammengebracht. Wer wusste auch, wie man ihn in den letzten Tagen genervt hatte. Möglicherweise rangierten die Geschäftsfreunde seines Vaters auf seiner Misstrauensskala gleich hinter der Kripo.
Ich kämpfte meinen Ärger nieder, ein Gedanke kam mir in den Kopf. Ich stieg die Treppe wieder hinunter, und wie erwartet saß auf dem nächsten Absatz das Mädchen von vorhin. Sie hatte unser Gespräch belauscht.
»Auf den kalten Stufen wirst du dir den Hintern verkühlen, Flippe«, sagte ich.
Sie hatte einen dicken braunen Rock an und einen lila Ano-

rak. Auf meine Worte hin sprang sie auf, strich sich wie eine Erwachsene den Rock am Hintern glatt und erwiderte: »Bist ganz schön abgeblitzt, was?«
»Genau wie du. Ich bin ihm zu groß zum Unterhalten, du zu klein, stimmt's?«
»Gar nicht so dumm«, bemerkte Flippe.
»Wie wär's, wenn dafür wir beide ein bisschen reden?«
Sie schaute mich schräg von unten herauf an. »Du willst ja bloß was über Peters Vater wissen.«
»Das stimmt nicht. Aber du hast vorhin von einer Tante erzählt, die ebenfalls zu Herrn Preilberg wollte.«
»Ach die«, sagte das Mädchen abschätzig, »die hat ihn nicht angetroffen, genau wie du. Und an mir ist sie vorbei, als wär ich Luft.«
»Wie sah die Frau denn aus? War sie groß oder klein, was hatte sie für Haare?«
Flippe überlegte. »Was krieg ich, wenn ich dir's sage?«
Ich suchte in meinen Taschen. Bonbons fanden sich nicht, aber ein Faserstift in Rot und Grün, den ich von einer Polenreise mitgebracht hatte. »Wie wär's damit?«
»Schreibt er?«
»Klar.« Ich kramte einen Zettel aus der Tasche und zog zwei verschiedenfarbige Striche.
Ihre Augen leuchteten auf. Sie bemerkte: »Die Tante war kleiner als du und schöner. Sie hatte schwarze Haare.«
»Okay«, sagte ich, »was hat sie gemacht? Bestimmt hat sie auch mit Peter gesprochen. Du hast doch ein bisschen gelauscht, oder?«
Flippe schien mitnichten in ihrem Stolz getroffen, außerdem lockte der Stift. »Die war böse. Die wollte in die Wohnung. Aber Peter hat sie nicht reingelassen.«

»Und was hat sie gesagt?«
»Weiß ich nicht mehr … Dasselbe wie alle. Ob sein Vater da ist und dass sie wiederkommt.«
»Wann wollte sie denn wiederkommen?«, fragte ich.
Flippe zuckte die Achseln. »Ich hab keine Ahnung.«
Mehr war nicht aus ihr herauszubekommen. Ich händigte der Kleinen den Zweifarbenstift aus, sagte »Tschüs!« und verließ nachdenklich das Haus.
Ich kehrte zu meinem Wagen zurück, den ich an der Straßenecke geparkt hatte. Ein Plan nahm in meinem Kopf Gestalt an – noch vor einer halben Stunde war er nicht einmal andeutungsweise vorhanden gewesen. Ja, es kam auf einen Versuch an, nur brauchte ich jemanden dazu. Eine Frau, die sich ein bisschen verstellen konnte. Ich dachte an Jeanette, sie würde bestimmt mitmachen und hatte das nötige Talent.
Ich wollte gerade starten, als ich im Rückspiegel sah, wie Peter das Haus verließ. Mit einem Tennisschläger unterm Arm, sicherlich würde er so schnell nicht zurück sein. Das kam meinen Absichten entgegen. Ich ließ den Motor an und fuhr los.
Eine Viertelstunde später – ich hatte mit Mühe eine Parklücke in der Nähe des Alex gefunden – betrat ich das Kaufhaus, wo Jeanette sich in der Abteilung Lederwaren betätigte. Hier war immer Betrieb, obgleich jetzt weniger gekauft wurde als einige Wochen vorher. Die Leute hielten das Geld für den Umtausch zurück, und Billigangebote im Freien waren eine ernsthafte Konkurrenz. Die DDR-Fabriken, von der westlichen Industrie vom Markt gedrängt, hofften, so wenigstens einen Teil ihrer Produkte loszuschlagen.
Jeanette beriet gerade einen Kunden beim Kofferkauf. Erfolglos – der Mann wollte ein Gepäckstück mit Rollen, das

man nicht am Lager hatte. Sobald er weg war, stürzte sie auf mich zu. »Gut, dass du kommst, ich muss mit dir sprechen.«
»Das trifft sich ausgezeichnet, ich mit dir ebenfalls.«
»Es geht um Rena und Herrn Kehl.«
»Sieh mal einer an«, sagte ich interessiert.
»Sie sind gestern in Renas Wohnung gewesen; sie kamen spät, haben aber die halbe Nacht diskutiert. Ich bin davon aufgewacht, weil mein Zimmer direkt an ihre Wohnstube grenzt.«
»Ich glaube, sie hatten allen Grund zum Diskutieren.«
»Wieso, ist was passiert?«
»Das erzähl ich dir später. Hast du etwas von ihrem Gespräch mitgekriegt?«
Sie wurde ein bisschen rot. »Da ich wusste, dass es für dich wichtig sein könnte, hab ich gelauscht. Aber die Wände sind dick. Bloß wenn sie sehr laut wurden.«
»Ist klar. Trotzdem, worum ging's, konntest du das hören?«
»Zuerst darum«, sagte Jeanette, »dass Rena sich angeblich blöd verhalten hätte. Kehl hat sie richtig angeschrien. Sie muss irgendwelches Geld mit rübergenommen oder nicht mit rübergenommen haben.«
»Wenn sie sich blöd angestellt haben soll, hat sie es wohl nicht mit rübergenommen, da könnte ich mir sogar einen Reim drauf machen«, sagte ich.
»Später war noch was anderes. Dass sie ihn in der Hand hätten oder so und sich alles zurückholen würden.«
»Wen hätten sie in der Hand?«
»Das konnte ich nicht verstehen. Mir kam die Sache sowieso spanisch vor. Um Erik Iffka kann es sich ja nicht mehr handeln.«
»Nein, um den nicht«, erwiderte ich.

»Du denkst an jemand anderen?«
»Ja, aber mach dir darüber keinen Kopf.«
Eine Kollegin rief nach ihr. »Und was wolltest du nun von mir?«, fragte Jeanette schnell.
»Kannst du dich für zehn Minuten frei machen?«
»Ist es wichtig?«
»Sehr wichtig. Wir wollen herausfinden, von wem Rena und Kehl heute Nacht gesprochen haben.«
»Ich red mit meiner Chefin«, versprach Jeanette. »Ich erfind irgendwas.«
»Komm zu den Telefonzellen in der U-Bahn«, sagte ich. »Die Unterführung links, du weißt schon. Ich geh voraus.«
Sie lief zu ihrer Chefin, und ich verließ das Kaufhaus. Durch den Haupteingang. Ich suchte die betreffenden Telefonzellen auf. Nun kam die Probe aufs Exempel, ich war einigermaßen gespannt. Ich konnte nur hoffen, dass ich Glück hatte und alles so klappte, wie ich es mir vorstellte.
Eine der drei Zellen war frei, mir fiel nichts Besseres als der Trick mit dem Taschentuch ein, den man aus Büchern und Filmen kennt. Ich bedeckte die Sprechmuschel damit, nachdem ich meine Münzen eingesteckt, den Hörer abgenommen und Rena Vorwegs Nummer gewählt hatte. Es dauerte eine Weile, bis jemand an den Apparat ging, ich dachte schon, mein schönes Spiel würde im ersten Anlauf scheitern. Doch sie hob ab, meldete sich mit einem trockenen »Bitte«.
»Hallo, Rena«, sagte ich, »hier ist der Mann, den du heute Morgen besuchen wolltest. Ich hab vorhin mit Peter telefoniert, und er hat mir davon erzählt.«
Sie brauchte einen Augenblick, um zu reagieren, einen solchen Anruf hatte sie nicht erwartet. »Ich bin erstaunt …«, begann sie.

»Erstaunt müsste ich sein. Worum geht's, wie komme ausgerechnet ich zu dieser Ehre?«

Sie lachte kurz und böse. »Lass das Versteckspiel, du weißt genau, was ich von dir will. Du glaubst vielleicht, dass du das schlau eingefädelt hast … Ich hab dich trotzdem erkannt.«

»Erkannt, wobei? Was meinst du?« Ich spielte ihr in Preilbergs Namen den Dummen vor.

»Die Nixe am Unterarm. Was nützt der Pudel über der Nase, wenn die Jackenärmel nach oben rutschen.«

Ich schwieg, tat, als müsse ich überlegen. Tatsächlich empfand ich ein Gefühl der Genugtuung. Ich hatte mich nicht getäuscht.

»Das hattest du nicht erwartet, was? Bist du überhaupt noch dran?«

»Ja, ich bin noch dran«, erwiderte ich.

»Na gut. Da ich dich nun einmal an der Strippe habe: Heute Abend um fünf bin ich bei dir. Und nicht, weil ich dich so sexy finde. Schick den Jungen weg, dann können wir unser Problem besprechen. Du hast mich zwar nicht gerade fein behandelt, aber wenn du vernünftig bist, lässt sich die Sache vielleicht noch regeln.«

»Was meinst du mit regeln?«

»Jetzt hör aber auf, es reicht«, sagte Rena wütend. »Wir quatschen schon viel zu lange. Du gibst das Buch zurück, das du mitgenommen hast, und wir vergessen alles andere. Aber keine neuen Tricks. Das meine ich mit regeln.«

Das Klicken am anderen Ende der Leitung verriet mir, dass sie aufgelegt hatte.

Ich wog den Hörer nachdenklich in der Hand, ich war höchst zufrieden mit dem Gespräch. Ein Buch hatte er also mitgenommen. Darauf wäre ich zu allerletzt gekommen.

Während ich die Nummer des Kabelwerks heraussuchte, traf Jeanette ein.
»Also, was soll ich tun?«, fragte sie. »Ich muss gleich wieder zurück.«
»Du rufst diese Telefonnummer an und lässt dich mit dem Fuhrhof verbinden. Mit einem Hans-Ulrich Preilberg. Du gibst dich für Rena Vorweg aus.«
»Du bist verrückt, das kann ich nicht machen«, protestierte sie.
»Willst du mir nun bei dem Fall helfen oder nicht?«
»Schon, aber es ist mir peinlich.«
»Das braucht es nicht. Es dient gewissermaßen einem guten Zweck. Wichtig ist, dass du echt wirkst. Kannst du Renas Stimme nachahmen? Das wäre am besten.«
»Und was soll ich sagen?«
»Dass du heute schon mal bei ihm warst und erneut zu ihm kommst. Nachher, um siebzehn Uhr. Wegen des Buches. Das reicht, danach legst du auf.«
Ich musste es ihr noch ein bisschen erklären, um sie endgültig zu überzeugen, doch dann machte sie ihre Sache gut. Preilberg schien geschockt. Er schöpfte keinen Verdacht.
»Und was nützt es dir, wenn sich die beiden in seiner Wohnung treffen?«, fragte Jeanette, als sie das Gespräch beendet hatte. »Was willst du mit diesem Manöver erreichen?«
»Getroffen hätten sie sich auch ohne mich. Jetzt kenne ich den Zeitpunkt und werde versuchen dabei zu sein.«
»Das könnte aber gefährlich werden«, wandte sie ein.
»Nicht so sehr. Ich habe alle Trümpfe in der Hand.«
»Und was soll das mit dem Buch bedeuten?«
»Das wüsste ich selbst gern. Was würdest du denn vermuten?«
Wir standen mittlerweile wieder oben auf dem weiten Rund

des Alexanderplatzes. Auch hier versuchten einige Burschen Geld zu tauschen. Ausländer verkauften Musikelektronik.
»Vielleicht etwas Wertvolles. Eine alte Handschrift, ein Erstdruck oder so«, erwiderte das Mädchen.
»Das passt wenig zu Erik Iffka.«
»Ein Tagebuch. Mit Hinweisen auf den Mörder.«
»Klingt mir zu sehr nach Krimi. Na, lassen wir's. Möglicherweise bin ich heute Abend klüger.«
»Ich werde dich auf jeden Fall anrufen«, sagte Jeanette. »Oder soll ich mit zu ihm kommen?«
Ich wehrte entschieden ab. »Das wäre nun wirklich zu viel Mühe.«

18

Jeanette kehrte an ihre Arbeit zurück. Bis siebzehn Uhr waren es noch fast zwei Stunden, und ich fuhr erst einmal nach Hause. Im Gegensatz zu dem, was ich dem Mädchen gegenüber geäußert hatte, war ich mir meiner Trümpfe nicht ganz so sicher. Auch die Gefahr war vielleicht größer, als ich mir zugab. Man konnte Ulli Preilberg keineswegs als Fliegengewicht ansehen, in Erik Iffkas »Unterschlupf« hatte er sich recht rabiat verhalten, und falls er den Mann meiner dicken Dame auf dem Gewissen hatte, besaß er sogar ein Schießeisen. Dies alles bedenkend, beschloss ich, nachdem ich eine Tasse Kaffee getrunken und eine Zigarette geraucht hatte, mich mit einer Schreckschusspistole auszurüsten; ich hatte eine in der Schublade. Ich wechselte meine Jacke gegen eine mit extragroßen Taschen und verstaute die Waffe darin. Da die Jacke gefüttert war, fiel es nicht weiter auf.

Sechzehn Uhr neunzehn stellte ich meinen Wagen erneut in der Nähe der Lottumstraße ab, drei Minuten später bezog ich schräg gegenüber Ullis Haus hinter einem Gerümpelcontainer Stellung. Ich überlegte noch, ob die Deckung genügte, da kam er schon in einem tabakbraunen Trabant angerauscht. Er schien nervös, klappte beim Aussteigen mehrfach mit den Türen, lief noch einmal zum Auto zurück, weil er abzuschließen vergessen hatte. Misstrauisch spähte er auch die Straße hinauf und hinunter. Mit mir konnte er natürlich nicht rechnen.

Um diese Zeit war er nicht der Einzige, der nach Hause kam – auf der Straße herrschte relativ viel Betrieb. Möglicherweise aus diesem Grund gab ich auf den lindgrünen Lada Kehls erst acht, als er nur wenige Meter entfernt von mir hielt. Es

war inzwischen fast fünf Uhr. Ich hatte mit dem Golf der Vorweg gerechnet.
Es gelang mir, hinter meinem Container abzutauchen. Dann beobachtete ich das Pärchen im Wagen, das eine letzte Absprache traf. Schließlich stieg Rena aus und steuerte quer über die Straße den bewussten Hauseingang an. Kehl blieb in seinem Lada sitzen.
Ich hatte keine Zeit zu verlieren. Einen rangierenden Lastwagen als Schutz benutzend, folgte ich ihr. Ich konnte nur hoffen, dass der Designer mich nicht bemerkt hatte.
Rena Vorweg war bereits über den Hof verschwunden. Als ich den Eingang zum Seitenflügel erreichte, hörte ich ihren Schritt weiter oben auf der Treppe. Neben mir ging einen Spalt breit eine braun lackierte Tür auf, das blasse, faltige Gesicht einer alten Frau war auszumachen. Ich nickte ihr ein freundliches »Guten Abend« zu, auf das sie nicht reagierte. Zum Glück trieb sich Flippe nicht mehr im Haus herum.
Jeweils zwei Stufen auf einmal nehmend, rannte ich die Treppe hinauf. Oben war ein kurzer Wortwechsel zu hören gewesen, nun trat wieder Ruhe ein, Ulli hatte Rena wohl eingelassen. Ich nahm die letzten Stufen im Spurt. Atmete heftig, musste einen Augenblick verschnaufen. Dann presste ich das Ohr an die Wohnungstür.
Ich konnte nicht viel hören: Sie sprachen erregt, aber leise. Bis Renas Stimme plötzlich grell aufschrillte und sich danach auch sein Organ in der Lautstärke steigerte.
Ich brauchte nichts zu verstehen, ich wusste ja, worum es ging. Neben der Tatsache, dass er ihr am Tag zuvor übel mitgespielt hatte, fühlte sie sich noch verschaukelt, weil er bestritt, sie angerufen zu haben, und ganz im Gegenteil behauptete, sie hätte ihn in seinem Betrieb ans Telefon holen lassen.

Dann wurden sie wieder stiller, sie verhandelten allem Anschein nach, stellten Überlegungen an, was das Ganze zu bedeuten habe. Sie entfernten sich, betraten irgendein Zimmer, und es bestand die Gefahr, dass aus den Gegnern Verbündete wurden. Das musste ich verhindern. Es war an der Zeit, mich bemerkbar zu machen.

Ich klopfte kräftig gegen die Tür und wartete. Zunächst tat sich gar nichts, wahrscheinlich waren sie überrascht, hofften, dass der Besucher wieder ging. Am wenigsten wäre ihnen jetzt wohl die Polizei gelegen gekommen.

Ich klopfte zum zweiten Mal und genauso stark. Nun quietschte sacht eine Zimmertür in den Angeln, Schritte wurden laut. Das Fuchsgesicht fragte von innen: »Wer ist da?«

»Du kannst ruhig öffnen, Ulli, ich gehöre dazu.«

»Wer ist *ich*? Wer gehört *dazu*? Ich verstehe kein Wort. «

»Du kennst mich. Ich bin nicht gerade ein Freund, aber immerhin ein Bekannter. Und ich sollte euch lieber sein als die Kripo.«

Er konnte sich nicht länger zurückhalten, er nahm die Sicherheitskette weg, machte auf. »Was, zum Teufel, wird hier gespielt?«

Das hätte auch ich ihn fragen können, doch ich unterließ es. Zumal er offensichtlich Mühe hatte, mein Gesicht einzuordnen. Nur langsam dämmerte es bei ihm. »Du bist doch der aus der Bar … der von neulich.«

»Entschuldige die kleine List, Ulli«, sagte ich beinahe heiter, »ich habe dich vorhin in Renas Namen anrufen lassen. Damit ihr euer Problem in meinem Beisein klären könnt.«

Er riss die Augen auf. »Ach, so ist das. Ihr steckt unter einer Decke!«

»Nicht doch. Mit ihr habe ich gleichfalls telefoniert. Hab

mich für dich ausgegeben. Lass mich in die Wohnung, dann werd ich's euch erklären. Hier draußen gibt es vielleicht unerwünschte Zuhörer.«

Er sah aus, als wollte er sich auf mich stürzen, aber die letzten Worte hielten ihn im Zaum. Mit finsterer Miene gab er den Weg frei.

Ich ging an ihm vorbei schnell in Richtung Wohnzimmer, dessen Tür offen stand. »Ich bin Privatdetektiv, Rena kennt mich bereits«, erläuterte ich.

Die Vorweg hatte ungefähr mitgekriegt, was los war, und kam uns aufgebracht entgegen. Obwohl die Situation an anderes denken ließ, musste ich mich unwillkürlich an Flippes Kinderworte erinnern, dass sie schöner sei als ich. In der Tat, trotz des Zorns, der ihre Züge entstellte, sah sie gut aus. Sie war ganz in Schwarz, trug ein Kostüm mit gelbem Ledergürtel und hohe enge Stiefel.

»Das ist doch zum Verrücktwerden«, fuhr sie mich an. »Sie haben sich das also ausgedacht. Was versprechen Sie sich eigentlich von solchen Tricks?«

»Ein bisschen weitere Aufklärung. Sie wollten ja ohnehin mit Preilberg sprechen, und ich dachte, es wäre gut, Zeuge zu sein. Schon wegen des Buches.«

Das Fuchsgesicht stellte sich dumm. »Was denn für ein Buch?«

»Es ist zwecklos, Versteck zu spielen. Rena hat mich darauf gebracht. Sie hat am Telefon davon gesprochen.«

»Du hinterhältiges Miststück!« Sie fiel aus der Rolle.

»Was denn«, sagte ich kalt, »Sie beschimpfen mich, schöne Frau? Haben Sie vergessen, dass er sie als Päckchen verschnürt ans Klo gebunden hat? Dass er nicht nur Cocktails trinkt, sondern möglicherweise ein brutaler Mörder ist?«

Bei diesen Worten drehte ich mich halb zu Preilberg herum,

der die Faust geballt hatte. Ich musste ihn wie sie im Auge behalten und dabei den Rücken frei haben. Wichtig war es, sie gegeneinander auszuspielen.
Ullis Reaktion kam prompt, meine Beschuldigung traf ihn. Er brüllte: »Bist du wahnsinnig, Mann! Wovon redest du? Ich hab nichts am Hut mit Erik, hab nichts mit seinem Tod zu tun. Das hab ich schon alles haarklein den Bullen dargelegt.«
Rena hatte sich wieder in der Gewalt. Man sah ihr an, dass sie fieberhaft überlegte, wie sie sich verhalten sollte. Sicherlich bedauerte sie jetzt, dass Kehl unten im Wagen geblieben war.
»In Frage für den Mord kämst du schon, Ulli«, sagte sie lauernd. »Wie man hört, ist Erik zuletzt noch bei dir gewesen.«
Sie oder ihr Freund Joke Kehl hatten sich also gleichfalls informiert. Vielleicht hier im Haus, das viele Zungen zu haben schien. Ich beschloss, das Brett weiter zu bohren. »Weshalb sollten wir dir glauben, dass du nicht geschossen hast? Du wusstest von seinem Geld, warst, wie uns bekannt ist, ganz geil darauf. Dabei hast du mir gegenüber immer so getan, als würdest du den Mann überhaupt nicht kennen.«
»Wir hatten ein paar Geschäfte zusammen gemacht, das muss man doch nicht jedem auf die Nase binden. Aber das von seinem Tod hab ich erst durch die Polizei erfahren, ich schwör's. An dem Abend, bevor es passiert ist, war er bei mir, das gebe ich zu. Er fühlte sich verfolgt, von allen Seiten wären sie hinter ihm her, sagte er, aber bei mir würde ihn keiner vermuten, keiner! Nur die eine Nacht wollte er bleiben, bis sich die Lage beruhigt hätte. Er hat mir 'ne Menge Zaster dafür versprochen, und das hat mich schließlich überzeugt. Denn eigentlich wollte ich keinen Ärger.«
»Nur hat dir der Zaster nicht gereicht«, fuhr Rena gehässig dazwischen.

»Die paar Scheine? Er ist doch um Mitternacht wieder weg. Wir hatten eine Flasche Cinzano gekübelt, und plötzlich hat er sich's anders überlegt. Aber was spielst du dich überhaupt auf, du hast ihn doch reingerissen. Du und dein Künstler, ihr seid an allem schuld.«

Ich mischte mich ein. »Nehmen wir an, was du sagst, ist richtig und Iffka ist wirklich um Mitternacht weg, Ulli. Wo wollte er hin?«

»Das hat er mir nicht erzählt, Mann. Zum Grunewald, denk ich, in diese Bude. Oder zur Linienstraße, zu ihr.« Er deutete auf Rena.

»Das sagst du bloß, um mich reinzureißen«, schrie Rena. »Ich war nicht zu Hause, und er hatte keinen Schlüssel.«

»Näher als die West-Unterkunft wär's jedenfalls gewesen«, stellte ich fest.

»Und der Überfall auf mich? Wo hast du überhaupt die Adresse drüben her?«

»Die hat er beim Saufen ausgeplaudert«, erklärte Ulli.

Alles war offen wie vorher, obwohl ich eine ganze Menge erfahren hatte. Ich wollte wenigstens in einem Punkt weiterkommen und ließ, während sie sich stritten, meine Blicke durch den Raum gleiten. Das Mobiliar – Tisch, zwei Schränke, Stühle, eine Couchgarnitur und ein Schwarz-Weiß-Fernseher – war abgenutzt, passte ins Hinterhaus. Keinerlei Wertgegenstände, lediglich eine Blumenvase aus Messing mit staubigen Kunstnelken auf einem Regal. Daneben Magazine und Zeitschriften. Im Regal selbst standen allerlei Blechdosen.

»Kommen wir doch mal auf das bewusste Buch zurück«, sagte ich, »darf ich einen Blick darauf werfen?«

»Mit welchem Recht?«, fragte Preilberg, der nun nicht mehr abzustreiten wagte, dass es so etwas gab.

»Mit dem Recht, Dorothea Iffka zu vertreten und damit in gewisser Weise ihren Mann.«
»Lächerlich«, zischte Rena, bewegte sich aber auf das Regal zu. Vielleicht befand sich dort doch etwas. Ihr Plan war es bestimmt, mich loszuwerden, um ihre Geschäfte mit Ulli dann nach ihren Vorstellungen zu regeln.
Das Fuchsgesicht hinderte sie nicht daran. Er schaute von mir zur rechten Ecke der Couch und gleich wieder weg. »Das Buch ist ohne Bedeutung, nur ein Andenken«, behauptete er.
»Dann kannst du es mir ja zeigen.«
»Nein«, sagte Rena scharf.
»Warum eigentlich nicht?«
Ulli blinzelte ihr zu. Er griff neben sich auf den hohen Kleiderschrank und holte einen Schmöker in zerfetztem Einband herunter. Es war möglicherweise das einzige Buch, das er besaß und in dem er je gelesen hatte.
Ich schüttelte missbilligend den Kopf und wandte mich jäh dem Sofa zu. Meine Hand fuhr in den Spalt neben dem Sitzpolster und zog einen Leinenband heraus, der dort steckte. Einen beigefarbenen Band mit goldenem Aufdruck. Es war eins der Werke von Storm, die ich in jener Wohnung im Bücherschrank gesehen hatte.
Die Überraschung war gelungen, sie standen beide einen Augenblick lang völlig verblüfft da. Freilich nur einen Augenblick lang. Dann stieß Rena einen Schrei aus und stürzte auf mich zu.
Ich schob ihr einen Stuhl entgegen, der sie stolpern ließ, sprang zurück und zog meine Schreckschusspistole. Ulli, der erst jetzt reagierte, blieb stehen.
»Tut mir leid, ich muss das vorläufig an mich nehmen, verbürge mich aber dafür, dass ich es an die rechtmäßigen

Besitzer zurückgeben werde. Damit dürfte auch für euch beide wenigstens ein Problem geklärt sein.«
Ich wich zur Tür zurück. Rena bedachte mich mit unfeinen Ausdrücken, Ulli sah aus, als wollte er zum Sprung ansetzen, wagte aber nur eine schwache Bewegung. Die Wohnungsschlüssel lagen auf der Flurgarderobe. Ich steckte das Buch in eine meiner großen Jackentaschen, griff mir das Bund, schloss von außen ab und ließ den Schlüssel stecken. Dann rannte ich die Treppe hinunter. Im Parterre angelangt, sah ich Kehl über den Hof kommen, ihm dauerte die Sache anscheinend zu lange. Ich nahm die letzten sechs Stufen nach unten und verbarg mich, bis er vorbei war, auf der Kellertreppe. Er stieg vorsichtig, immer wieder Pausen einlegend, nach oben. Ich stellte mir mit Freude sein verblüfftes Gesicht vor, wenn er bei Preilberg den Schlüssel außen steckend vorfand, das Fluchen drinnen hörte, und rannte zu meinem Wagen.
Ich startete und fuhr etwa zwei Kilometer in nördlicher Richtung die Schönhauser Allee hinauf. Erst in der Nähe einer Kirche nahm ich mir die Zeit zu halten und in aller Ruhe zu prüfen, was ich da eigentlich an Land gezogen hatte.
Das Buch – auch das hatte mich in Ulli Preilbergs Wohnung in der Meinung bestärkt, etwas Wichtiges in der Hand zu halten – hatte sich nicht wie ein Werk geistiger Erbauung angefühlt, sondern eher wie eine Brieftasche. Wobei ich nichts gegen eine gut gefüllte Brieftasche habe. Ich will durchaus nicht abstreiten, dass sie auf ihre Art gleichfalls der Erbauung von Körper und Geist dienen kann, sofern man der Besitzer ist. Das allerdings war ich in diesem Falle leider nicht.
Ich holte das Buch aus der Tasche, einmalig gespannt, ob ich all diesen Aufwand getrieben hatte, um einen Volltreffer zu landen oder nur um eine Niete zu ziehn. Von außen

war nichts Ungewöhnliches zu entdecken, dennoch zögerte ich einen Augenblick, tastete den Einband ab. Schließlich hielt mich aber nichts mehr zurück, und ich schlug Theodor Storms »Immensee« auf. Ich muss gestehen, ich hatte die Novelle noch nicht gelesen, nur von meiner Mutter etwas darüber gehört. Zum Lesen war dieses Exemplar freilich auch kaum mehr geeignet.

Erik Iffka hatte sich nicht mit Pietät aufgehalten, er hatte ein Versteck für seine Scheine gesucht und sich eine originelle Sparbüchse geschaffen. Ohne sich allzu viel Mühe zu geben. Er hatte einen großen Teil der Seiten des Bandes einfach herausgerissen, etwa drei Viertel, lediglich vorn und hinten war jeweils noch ein schmaler Stoß Blätter vorhanden. Dann hatte er seine Tausender in einem dicken Packen zwischen diesen Blättern deponiert und, damit die Knete nicht herausfallen konnte, das Ganze mit Klebeband gesichert. Etwas unpraktisch erschien mir die Geldentnahme. Es war wohl nur ein provisorisches Behältnis.

»Immensee« war verstümmelt, stattdessen schauten mich unversehrt die fremdartigen kostbaren Scheine an. Und ich sie – ein eigenartiges Gefühl. Mir kam in den Sinn, dass ehrenhafte Leute schon für weit weniger Mäuse jedem Gesetz und Anstand den Abschied gegeben hatten. Und dass Ulli, Rena, Kehl mir jetzt, nach meinem Handstreich, gewiss am liebsten die Haut streifenweise vom Körper ziehen würden, wenn sie mich zu fassen kriegten.

Ich machte mir nicht die Mühe, das Geld zu zählen, ich ließ es unangetastet. Es mochten fünfzigtausend D-Mark sein oder noch mehr, ich tat, als wären es zwanzig Mark Ost. Oder nicht ganz: Eine Gedenkminute legte ich schon ein, für mich, für meine einmalige Chance, mit diesem Geld eine

bescheidene Weltreise zu starten. Drei Monate irgendwo zu leben, wo Millionäre sich tummeln, zwischen Kokospalmen, nacktbusigen Lambadatänzerinnen und beflissen hin und her eilenden Dienern mit Tabletts voller geeister Campari-Drinks. Eine Minute Fernsehträume, die Klischee waren und dennoch einiges für sich hatten. Dann steckte ich das »Sparbuch« wieder weg, setzte den Wartburg erneut in Bewegung und rollte der Heimat zu.
Bis hierher waren die Dinge wenn nicht planmäßig, so doch einigermaßen erfolgreich verlaufen, aber wie sollte es jetzt weitergehen? Sollte ich zu meiner dicken Dame fahren, ihr gegen eine Quittung den Schatz überreichen und mir meinen Anteil auszahlen lassen? Keine schlechte Idee, wenn da nicht der tote Erik Iffka gewesen wäre. Wo war er an jenem Mittwoch nachts hingefahren? Hatten ihn seine Verfolger unterwegs erwischt und ihm den anderen Teil seines Reichtums abgenommen, den er vielleicht bei sich trug? In dem Buch steckte eine Menge Knete, das war richtig, aber es konnte nicht alles sein, selbst wenn man in Rechnung stellte, dass Rena das Vermögen gemeinsam mit ihrem Geliebten in der kurzen Zeit bereits angezapft hatte.
Ich kam nach Hause, ich betrat mein Büro, ich legte Storms »Immensee« auf den Schreibtisch und daneben die Schreckschusspistole. Dann warf ich mich in meinen Besuchersessel und überlegte. Eins hatte ich bei meinem Aufenthalt in der Lottumstraße nicht feststellen können – ob Ulli eine Schusswaffe besaß. Gut, gut, dachte ich, wenn er eine hatte und Iffka womöglich trotz allem von ihm umgebracht worden ist, wird er die Kanone längst weggeworfen haben. So wie es jeder in seiner Lage tun würde. Wo und unter welchen Umständen, das musste schon die Polizei herausfinden.

Bei diesem Punkt war ich angelangt, als es an der Wohnungstür klingelte. Vielleicht Jeanette, vielleicht jemand, dem der Verlust der Geldscheine wehtat und der sie zurückholen wollte. Ich packte Buch wie Pistole in meine Schublade und fragte vorsichtshalber, wer draußen sei. Überraschenderweise handelte es sich nicht um eine Person aus dem vermuteten Kreis, sondern um Inspektor Brinke. »Ich bin auf dem Nachhauseweg und hab bloß einen kleinen Abstecher zu dir gemacht«, erklärte er. »Heute Morgen im Dienst konnte ich nicht so richtig reden, wusste auch nichts. Ist ja in der Tat nicht mein Fall. Aber da 's so aussieht, als ob du Ärger kriegen würdest …«

»Ärger, wieso … Durch wen?«

»Durch Emden«, erwiderte Brinke, »durch wen sonst.«

»Das versteh ich nicht. Heute Mittag war er noch ganz freundlich zu mir. Hat mir sogar einige Fragen beantwortet.«

»Und er hat dir, wie's scheint, Fragen gestellt. Solche nach einem Mann zum Beispiel, von dem er bisher annahm, er hätte die Polizei von Iffkas Tod unterrichtet.«

Mir schwante Böses. »Nimmt er das jetzt nicht mehr an?«, erkundigte ich mich.

»Soviel ich gehört habe – rein zufällig natürlich –, glaubt er jetzt eher, dass du der Anrufer bist.«

»So plötzlich?«, sagte ich scheinheilig und gleichzeitig erstaunt. »Wie kommt er denn darauf?«

»Das entzieht sich meiner Kenntnis. Es hat neue Ermittlungen gegeben, Gespräche. Ich wollte nur, dass du vorbereitet bist.«

Ich bedankte mich. Wenn Emden auf einmal mich im Verdacht hatte, der Anrufer zu sein, konnte es ihm nur eine einzige Person verraten haben: meine dicke Dame. Dass sie geplaudert haben sollte, enttäuschte mich. Ich fragte Brinke, ob es sonst noch etwas Neues über den Mord gäbe.

»Höchstens noch was Erheiterndes. Iffka soll um Weihnachten herum einen Herrn Müller und seine Kompagnons mächtig übers Ohr gehauen haben. Der Mann will jetzt Klage bei Gericht einreichen, damit er zu seinem Geld kommt.«

»Müller? Heißt er wirklich Müller?«

»Warum soll er nicht so heißen?«, fragte Brinke verblüfft zurück.

»Weil … ach, das erklär ich dir ein andermal.«

Inzwischen hatte sich der Inspektor in meinen großen Ledersessel gesetzt, und wir unterhielten uns über allgemeine Dinge. Ich überlegte krampfhaft, ob ich ihm von dem »Sparbuch« erzählen, es ihm vielleicht sogar zeigen sollte, unterließ das aber. Ich wollte ihn in nichts hineinziehen. Plötzlich hielt er zwischen Daumen und Zeigefinger zwei winzige Zuckerkügelchen hoch. »Man merkt, dass keine Frau im Haus ist. Wenigstens in deinem Besuchersessel solltest du ab und zu mal aufräumen.«

»Das sind nur ein paar Liebesperlen. Die Kunden schleppen das Zeug her.«

»Wie nennst du das, Liebesperlen?«

»Ja, so heißt es wohl. Haben wir als Kinder gegessen. Ich wusste den Namen auch nicht mehr.«

»Und genau das war's, was ich dir noch sagen wollte«, erklärte Brinke, »beinahe hätte ich's vergessen. An der Hose von Iffka klebten Liebesperlen. Emden hält es nicht gerade für eine vielversprechende Spur, aber du weißt, manchmal ist die kleinste Kleinigkeit wichtig.«

19

Es musste nichts zu bedeuten haben, wirklich nicht. Einiges passte zueinander, anderes weniger, und insgesamt blieben viele Fragen offen. Dennoch, als Brinke gegangen war – Frau und Kinder erwarteten ihn, außerdem ein Hund namens Wedel, ein Kurzhaardackel mit glänzendem Fell, an dem er besonders hing –, holte ich das Buch wieder aus der Schublade. Ich hatte Zweifel, ob ich das Geld mitnehmen sollte, tat es dann aber doch. Die Schreckschusspistole dagegen vergaß ich. Gerade als ich sie einstecken wollte, läutete das Telefon. Es war Jeanette, sie wollte wissen, ob alles geklappt hätte.

»Es hat geklappt, besser als angenommen, aber jetzt bin ich auf dem Sprung, ich muss noch einmal meine Klientin besuchen.«

»Was denn, heute Abend, hat das nicht bis morgen Zeit?«

»Ich denke nicht. Manche Dinge lassen sich nicht aufschieben.«

»Und was war das nun für ein Buch?«, fragte Jeanette neugierig.

»Eine Novelle von Theodor Storm, ›Immensee‹, kennst du sie?«

»N … nein«, erwiderte das Mädchen gedehnt. »Aber ich versteh nicht. Was soll da so Wertvolles dran sein?«

»Er hat's als Sparbüchse benutzt. Und keineswegs für Kleingeld. Doch jetzt muss ich Schluss machen. Den Rest erzähl ich dir morgen.«

Es war nach neun, als ich in Buchholz ankam, ein pechschwarzer Abend; Mond und Sterne mochten in der Tiefe des Raums flimmern, so viel sie wollten, sie wurden von dichten Wolken zugedeckt.

Das Haus lag im Dunkeln, war nur schummrig von einer Straßenlaterne beleuchtet. Keinerlei Licht in den Fenstern, nicht einmal der bläuliche Schimmer eines Fernsehers irgendwo oben oder unten. Ich stieg aus dem Wagen, schloss ab, ging zur Haustür. Sie war verriegelt, ich klopfte, aber niemand schien mich zu hören. Da ich nicht die Gegend rebellisch machen wollte, ließ ich wieder von der Tür ab.

Sollte die dicke Dame ausgegangen sein? Wundern würde es mich kaum, man traf sie ja nie an, wenn man sie besuchen wollte. Doch so schnell gab ich nicht auf, gerade jetzt hätte es mich gefuchst, unverrichteter Dinge heimzufahren. Vielleicht hielt sich meine Klientin bloß hinten auf, in der Küche, im Schlafzimmer. Da ich nicht durch den Hausflur gehen konnte, versuchte ich, um das Haus herumzulaufen, doch an das der Iffka schlossen sich weitere Häuser an, und beim dritten, einem Backsteinbau, war die Tür dann offen, und wie ein Spitzbube stieg ich im Hof über die Mauer. Danach, indem ich einen Holzhaufen erklomm, über die nächste. Nun hatte ich die richtige Hinterfront erreicht.

Oben waren die Fenster erleuchtet, unten herrschte, wie auf der Vorderseite, Finsternis; wenn die Dicke nicht schon schlief, war meine Küchen- oder Schlafzimmertheorie verfehlt. Erfreulich fand ich jedoch, dass in diesem Moment wilde Beatrhythmen aufklangen: Das Birnenhaupt war bei seiner Lieblingsbeschäftigung. Umso besser, da würden sie nichts von dem merken, was hier im Hof vorging.

Der Sägebock war noch da, ich konnte mich nicht zurückhalten, wollte wenigstens nachsehen, ob sie vielleicht im Bett lag. Ich klopfte leise an die Scheibe – nichts. Ich hatte eine kleine Taschenlampe bei mir, leuchtete nach innen. Alles ruhig, die Betten waren leer. Nun drückte ich, wie schon beim

ersten Mal, gegen den Fensterflügel. Er gab nach, entweder schloss die Verriegelung nicht, oder die dicke Dame verhielt sich trotz ihrer schlimmen Erfahrung von neulich unvorsichtig genug, aufzulassen, selbst wenn sie weg war.
Es ging um Klarheit: Die Gelegenheit war günstig und die Versuchung groß. Dennoch, was ich konkret erhoffte, als ich mich nun übers Fensterbrett schwang und mit einer Menge Geld in der Tasche trotzdem in Diebesmanier einstieg– ich hätte es kaum erklären können. Auf keinen Fall wollte ich Dorothea Iffka mit stiller, gütiger Geste auf dem Küchentisch ein volles »Sparbuch« hinterlassen, um mich dann heimlich wieder davonzustehlen. Ich hatte das Kapital zwar für sie beschafft, aber war es wirklich ihrs? Bevor sie es ausgehändigt bekam, musste sie mir noch ein paar Fragen beantworten.
Ich tastete mich durchs Schlafzimmer, ließ meine kleine Taschenlampe in der Erwartung aufblitzen, etwas zu finden, das mir endgültige Aufklärung gab. Wenn Erik in der für ihn verhängnisvollen Nacht nicht nach Westberlin zurückgekehrt und auch nicht zu Rena gegangen war, dann lag nahe, dass er sich hierherbegeben hatte. Und wenn es ihm nur in den Kopf gekommen war, irgendwelche Sachen zu holen, die ihm gehörten. Der Alte im ersten Stock hatte behauptet, dass die Dicke in der Nacht zum Donnerstag weggefahren sei – am Morgen war sie nach Aussagen seiner Frau wieder da gewesen. Was hatte das zu bedeuten? Wer wusste eigentlich von Iffkas Gartenhaus, konnte dort ein und aus gehen, ohne die Türen gewaltsam aufbrechen zu müssen, denn es war ja nicht anzunehmen, dass der Mann ständig die Schlüssel mit sich herumschleppte. Wie es aussah, waren seine Handlungen an jenem Tag spontan und der Not gehorchend erfolgt. Und schließlich – es gab den Hinweis auf jenes Zu-

ckerzeug. Gewiss, das alles konnte sich auf einfache Weise aufhellen. Trotzdem war ich in den letzten Tagen vielleicht in eine Richtung gelaufen, die vom zentralen Punkt wegführte. Ich suchte, ohne Licht zu machen, zog Schubladen auf, schaute in Schränken nach, doch ich vermochte weder den Personalausweis Erik Iffkas noch ein anderes Indiz für seine vorübergehende Anwesenheit, noch gar eine Pistole zu entdecken. Das Gleiche in der Küche, im Bad, wo die Rollos heruntergezogen waren, sodass ich die Lampen einschaltete. Im Korridor fiel mir eine gewisse Leere auf, mir war, als hätte hier zum Beispiel eine große Bodenvase gestanden, möglicherweise wertvoll, die nun fehlte. Im Wohnzimmer, wo ich wieder mit Taschenlampe arbeitete, war eine Vitrine mit Porzellan fast ausgeräumt.

Ich begann mir gerade Gedanken darüber zu machen, da sagte unvermutet eine heisere Stimme hinter mir: »Guten Abend, Herr Krey.« Im gleichen Augenblick wurde es hell im Raum.

Ich fuhr herum, meine dicke Dame saß neben der halb offenen Tür, durch die ich hereingeschlichen war, ruhig in einem Sessel. Sie betrachtete mich gelassen, weidete sich ein wenig an meinem Erschrecken. Sie war angezogen, als wollte sie ausgehn. Ein dunkelrotes Jackenkleid, ein Tuch um die Schultern, obwohl es hier nicht kalt war, festes Schuhwerk.

»Sie scheinen etwas zu suchen«, fügte sie hinzu.

»Ich … nun ja … warum haben Sie sich denn nicht bemerkbar gemacht? Ich meine … warum erst jetzt?«

»Sie haben geklopft, nicht wahr? Leider waren Sie schon wieder weg, als ich zur Haustür kam, ich konnte also nicht wissen, um wen es sich handelte. Doch ›leider‹ ist vielleicht nicht das richtige Wort. Sie sind bei mir eingestiegen, durch-

stöbern meine Wohnung. Ich hab hier still in meinem Stuhl abgewartet. Weshalb, Herr Krey, brechen Sie bei mir ein?«
Ich kam ins Schwimmen. »Also … man kann das nicht einbrechen nennen. Ich wollte Ihnen etwas bringen, aber niemand schien zu Hause zu sein. Da bin ich auf Umwegen in den Hof gelangt. Möglicherweise ist Ihnen wieder etwas passiert, dachte ich.«
Sie glaubte mir nicht, das war ihr anzusehen. Doch sie stellte ihre Zweifel zunächst zurück. »Was wollten Sie mir bringen?«, fragte sie interessiert.
»Das Geld, von dem wir sprachen. Oder wenigstens den größten Teil davon. Ich hab es Rena Vorweg abgenommen und einem kleinen Ganoven namens Hans-Ulrich Preilberg. Kennen Sie ihn?«
»Ulli? Nicht sehr gut. Mein Mann hatte mit ihm zu tun, und heute hat mich die Polizei über ihn ausgequetscht. Übrigens auch über Sie, Herr Krey.«
»Ja, das hörte ich schon«, sagte ich, wieder sicherer geworden. »Sie haben sich nicht an unsere Abmachung gehalten, haben verraten, dass ich der anomyme Anrufer war. Warum?«
»Weil mich die Bullen in die Zange genommen haben«, entgegnete die Dicke. »Sie sind aufdringlich wie Schmeißfliegen. Dieser Emden hat keine Ruhe gegeben. Ich konnte nicht anders.«
»Das kann mir aber Ärger einbringen. Falls wir nicht die Hauptfrage klären.«
»Welche Hauptfrage, was meinen Sie?« Sie starrte mich durchdringend an. Und fuhr, ohne auf eine Antwort zu warten, fort: »Sprechen wir erst einmal über das Geld. Ich wusste, dass Sie tüchtig sind und es beschaffen. Wie viel ist es?«

Ich holte Theodor Storms Werk aus der Jackentasche. »Fünfzigtausend oder mehr.«
Ihre Augen leuchteten auf, sie erstrahlten geradezu. »Und er hat's da drin versteckt?«, sagte sie bewundernd. »Er erfindet doch immer wieder was Neues.«
»Er erfand«, korrigierte ich, »inzwischen ist er, wie wir wissen, nicht mehr in der Lage dazu.«
»Sie haben Recht«, sagte Dorothea Iffka ernüchtert und irgendwie gleichgültig, »es ist sehr traurig. Trotzdem, geben Sie mir jetzt das Buch!«
Ich wog den Band in der Hand. »Ich kann mich nicht recht dazu entschließen. Vielleicht sollte ich es lieber der Kripo aushändigen.«
»Das ist mein Geld. Die Kripo hat nichts damit zu tun!«
»Da bin ich mir nicht sicher. Sie selbst haben mir erklärt, dass Erik Schulden hatte. Dass die Summe längst hätte zurückgezahlt werden müssen.«
»Genau so ist es. Deshalb brauch ich die Knete. Als es vorhin klopfte, dachte ich, es könnten erneut diese Schläger sein. Ich muss sie auszahlen.«
Ich ging zur Attacke über. »Vorher möchte ich noch wissen, ob Erik in der Nacht zum Donnerstag hier bei Ihnen war. Das wird nämlich behauptet.«
»Wer behauptet das?«
»Ulli Preilberg, von dem ich das Geld habe. Bei ihm war Erik vorher. Er hat Ihren Mann bis zu Ihrer Tür gebracht.«
Es war ein Trick, und er hatte Erfolg. Die dicke Dame wurde ein bisschen rot im Gesicht und dann bleich. »Ach, verdammt, Krey«, sagte sie, »Sie sind tüchtig, zu tüchtig. Warum mischen Sie sich bloß in Dinge ein, die Sie nichts angehn.«
»Also stimmt es, er war hier!«

»Ja, es stimmt, auf die Dauer kann ich's nicht leugnen.« Sie nickte. »Ich wusste, dass ich mit der Sache nicht durchkomme, dass was schiefgeht. Na los, reichen Sie die Kohle schon rüber. Aber vorsichtig.« Sie hatte plötzlich eine Pistole in der Hand.

Sie stand auf, trat einen Schritt auf mich zu. Ihre massige Gestalt verbaute den Zugang zur Tür. Ihr rundes Gesicht wirkte unvermittelt kantig, und ihre Stimme hatte einen gefährlichen Unterton. Mir wurde klar, dass es sich bei ihrem Schießeisen um keine Schreckschusspistole handelte.

»Und wenn ich dem nicht folge?«

»Dann müsste ich leider abdrücken. Die Wände sind dick, und bei der Musik hören die oben nichts.« Diese Tatsache, die ich vorhin für erfreulich gehalten hatte, kehrte sich nun gegen mich.

Ich gab ihr das Buch vorsichtig, wie sie es wünschte. »Ich habe die Summe nicht angerührt«, sagte ich.

»Daran zweifle ich in keiner Weise. Mir ist bewusst, dass Sie ein ehrlicher Mensch sind.« Sie ließ sich nicht durch einen Blick auf das Geld ablenken.

»Haben Sie ihn mit dieser Pistole erschossen?«

»Ja, ich geb's zu. Aber er ballerte zuerst herum, und er trug sie auch bei sich. Er hatte sie besorgt, weil er wusste, dass man hinter ihm her war. Das Ganze war ein Unfall.«

Ich muss gestehen, dass ich einigermaßen erschüttert war. Ich hatte es zuletzt vermutet, aber doch gehofft, sie sei es nicht gewesen. »Wie ist es genau vor sich gegangen?«, fragte ich.

Sie schwankte offensichtlich zwischen einer gewissen Scheu, die Einzelheiten preiszugeben, und dem Bedürfnis, ihr Herz zu erleichtern. »Na, wie schon. Es war seine Schuld. Er holte mich aus dem Schlaf, ziemlich betrunken, erklärte, er müsse die Nacht hierbleiben. Diese eine Nacht, nicht länger, dann würde er sich absetzen, ich wäre ihn für immer los. Also gut, ich will nicht behaupten, dass mich das am meisten schreckte, aber der Gedanke, er könnte mit dieser Hure das gesamte Moos durchbringen, machte mich ungeheuer wild. Ich schrie ihn an, er blieb cool, er hatte so eine unverschämte giftige Art. Da hab ich ihm eine gelangt, Sie wissen ja, er war ein Fliegengewicht. Und dann begann er auf einmal mit der Pistole herumzufuchteln. Weil ich's nicht ernst nahm, hat er auf dem Flur meine schönste Vase kaputtgeschossen. Mit einer einzigen Kugel.«

»Die zweite dagegen kam von Ihnen und traf ihn ins Herz.«

»Das war, weil er mich beschimpfte und demütigte und das andere Geld auch noch aus der Kassette holte, um damit abzuziehn. Ich war außer mir, ich ließ alle Vorsicht außer acht, stürzte mich auf ihn. Irgendwie kriegte ich das verdammte Ding in die Hand, es ging fast von selber los.«

Aber nur fast, dachte ich und schwieg.

20

Die dicke Dame, die ich nun nicht mehr als *meine* dicke Dame bezeichnen mochte, trat einen Schritt zur Seite, gab die Tür frei. »Als ich damals zu Ihnen kam, hätte ich nicht gedacht, dass die Sache so enden würde«, erklärte sie, »das Leben spielt einem schon mit. Doch was hilft's, es ist passiert. Da bleibt keine große Wahl mehr. Also vorwärts. Sie gehn voran. Und heben Sie schön die Hände.«

»Was haben Sie vor?«, fragte ich beunruhigt.

»Ich werd mich wohl verdrücken müssen. Nicht bloß, dass Sie jetzt Bescheid wissen, auch die Bullen finden über kurz oder lang heraus, wie die Sache gelaufen ist. Es gibt Spuren, die man schlecht beseitigen kann. Die Befragung heute klang schon bedrohlicher als die vor ein paar Tagen. Wenn sie Ulli ausquetschen und auf die Idee kommen, hier eine Haussuchung zu machen …«

Ich trat durch die Tür auf den Korridor. Ich hatte den Eindruck, etwas unternehmen zu müssen, aber sie ging nun hinter mir und war offenbar hellwach. Ich musste auf eine günstigere Gelegenheit warten.

»Fünfzigtausend Mark sind eine Menge Geld, doch nicht viel, wenn man sich verstecken muss. Mit einer Figur wie der Ihren. Sie haben keine Chance«, sagte ich.

»Ein bisschen mehr, als Sie glauben, besitze ich schon. Ich war in den letzten Tagen ständig unterwegs, weil ich zu Geld gemacht habe, was immer möglich war. Sie haben ja die leere Vitrine gesehen. Und dann gab es da meinen Anteil an dem Geschäft mit Müller.«

»Was denn, auf einmal kennen Sie Müller, auf einmal hatten Sie einen Anteil?«

»Nicht auf einmal. Muss ich Ihnen alles auf die Nase binden? Trotzdem bin ich Ihnen dankbar, dass Sie mir noch ein paar Spesen zusätzlich vorbeigebracht haben. Sie haben recht, ich kann es gut gebrauchen.«

Sie verblüffte mich immer wieder, ich war sprachlos. Sie hatte eine Menge Geld im Haus gehabt, sich aber lieber halb tot prügeln lassen, als etwas herauszurücken. Ein starker Charakter.

»Die Koffer sind gepackt«, sagte sie, »einer befindet sich schon im Wagen. Zum Glück gibt es keine Grenze mehr. Ich kenne jemanden in ... Doch das erzähl ich Ihnen lieber nicht. Ich baue auf den allgemeinen Wirrwarr, der im Augenblick hierzulande herrscht. Auf das, was täglich passiert. Dennoch brauche ich einen gewissen Vorsprung. Mein Problem sind momentan Sie.«

Das alles klang nicht gut. Wir hatten die Wohnung verlassen, strebten der Kellertreppe zu. Offenbar befürchtete die Iffka nicht, dass uns die Mieter oben überraschen könnten. Was beabsichtigte sie? Ich verharrte, hoffte, das Minutenlicht würde verlöschen. Es war ein ekliges, auf Langzeit eingestelltes Minutenlicht. Es dachte gar nicht daran, auszugehn.

»Sie haben Ihren toten Mann in der Nacht ins Gartenhaus gebracht?«, fragte ich. »Warum? Wäre es nicht besser gewesen, ihn im Wald zu verbuddeln, irgendwo in der Einöde?«

»In welcher Einöde denn? Die Leute kriechen doch überall herum, jede Leiche wird früher oder später gefunden, und dann richtet sich der Verdacht erst recht gegen den Ehepartner. Die Datsche dagegen, die eigene, lenkt ab. Das Risiko wird die Dicke doch nicht eingehen, sagt sich die Polizei. Wenigstens hab ich mir das so überlegt, als ich Erik im Finstern durch die Landschaft karrte. Können Sie mir folgen?«

»Es fällt mir schwer«, gab ich zur Antwort und ließ die Arme sinken.
Wir standen vor der Kellertür, das Minutenlicht war endlich ausgegangen, aber die Frau hatte vorher das auf der Treppe eingeschaltet. »Schön die Hände oben behalten«, mahnte sie. »Sie sollten sich der Polizei stellen. So wie Sie es schildern, war es kein Mord. Sie bekommen bestimmt mildernde Umstände.«
Die dicke Dame ließ meine Empfehlung unbeachtet. »Es bestand noch ein Grund, Erik gerade dorthin zu fahren, und vielleicht war der sogar ausschlaggebend«, fuhr sie, sich rechtfertigend, fort. »Es hat etwas mit Gefühlen und Erinnerungen zu tun. Meinen Alten zu verscharren wie einen Hund oder in einer Pfütze absaufen zu lassen war mir einfach zuwider. Er hatte einen anständigen Platz verdient, der Ort, wo er früher gern gewesen war, bot sich dafür an. Ich glaube, vor allem deswegen hab ich ihn in den Garten gebracht.«
Die Kellertür war nicht abgeschlossen, und mir wurde langsam mulmig. Ich wünschte mir Ecke, die Knollennase, Rena, sonstwen herbei. Die Dicke war unberechenbar.
»Wollen Sie mich einsperren?«, erkundigte ich mich.
»Wenn Sie vernünftig sind, geschieht Ihnen nichts. Ich werde Sie schallsicher verwahren. Wenigstens für ein, zwei Tage.«
Wir strebten mittlerweile der Sohle des Kellers zu, eine nackte Glühlampe erhellte unseren Weg, und sonderbarerweise drang ein Schwall der Musik aus der oberen Etage an mein Ohr. Das Birnenhaupt hatte den Recorder wieder einmal auf volle Lautstärke gestellt.
Mich packte Wut. Es war beschämend, mich dem Willen dieser verbohrten Tante zu beugen. Wenn ich herumfuhr, ihr die Waffe aus der Hand schlug …

»Keine Dummheiten«, murmelte die Dicke, als hätte sie meine Gedanken erraten. »Ich hab noch nie so viel schönes hartes Geld auf einem Haufen gehabt wie jetzt, da riskier' ich eine zweite Kugel, wirklich!«

»Sie sollten aufgeben«, beharrte ich, »Sie schaffen es nicht. Für Ihre Scheine können Sie sich einen guten Anwalt nehmen.«

»Sind Sie wahnsinnig? Für einen Anwalt soll ich den ganzen Reichtum verschleudern? So begreifen Sie doch: Ich gebe die Knete nicht wieder her!«

Wir standen nun im Kellergang, rechts und links befanden sich Verschläge, deren Brettertüren mit Vorhängeschlössern gesichert waren, weiter hinten gähnte ein Mauerdurchbruch. Heizungs- und Abflussrohre liefen an den Wänden entlang, seitlich war eine Eisentür zu sehen. Die Dicke fummelte an ihrem Schlüsselbund, sie wollte mich hinter dieser Tür unterbringen.

Ich musste es wagen. »Schließen Sie auf«, sagte die Iffka noch und hielt mir das Bund hin, da warf ich mich zur Seite. Ich hörte den Knall, verspürte ein Brennen an der Hüfte, dann hatte ich die Maueröffnung erreicht, tauchte ins Dunkel. Noch einmal knallte es, doch wenn mich die dicke Dame nun treffen wollte, musste sie in meine Höhle kommen. Ich stand neben dem Mauerloch, hielt ein Stück Stahlrohr in der Hand und den Atem an. Ich hörte, wie sie heftig rasselnd Luft holte.

Traute sie sich her zu mir? Sie war mutig, doch nicht mutig genug. Sie fluchte leise, scharrte mit den Füßen, überlegte bestimmt. »Kommen Sie heraus, Krey!«

»Geben Sie auf, Sie machen die Sache nur schlimmer«, erwiderte ich.

Schließlich hatte sie sich entschieden. Vorsichtig zog sie sich

zur Kellertreppe zurück, die Pistole auf mein Versteck gerichtet; ich sah es, als ich einen Blick nach draußen riskierte. Dann hastete sie die Stufen hinauf. Die Tür quietschte, es wurde finster. Sie hatte das Licht ausgeschaltet, schloss die Kellertür ab. Sie begnügte sich damit, mich einzusperren, hoffte, dass ich nicht so schnell befreit würde.
Ich tastete mich den Gang entlang, suchte einen Lichtschalter, fand aber nichts. Stolperte stattdessen über ein paar Mauersteine, stieß mir schmerzhaft das Knie. Auch die Hüfte brannte, doch es war zu ertragen, bestimmt nur ein Streifschuss. Als ich die Tür endlich erreicht, wieder Licht gemacht hatte, war wertvolle Zeit vergangen. Mir kam es so vor, als ob die Haustür klappte.
Ich tat, was man in solchen Fällen zu tun pflegt, ich trommelte gegen die Tür. Ich rief, brüllte, aber niemand hörte mich. Ich gab mich nicht damit zufrieden, lief erneut nach unten, suchte einen anderen Ausgang. Drei der Verschläge hatten Fenster zum Hof, winzige Fenster, eins nur schien mir so groß, dass ich mich hindurchquetschen konnte. Mit Hilfe des Eisenrohrs brach ich ein paar Latten aus der Trennwand des betreffenden Kellerraums, kroch durch die so entstandene Lücke. Das Fenster ließ sich nach innen öffnen. Ich stieg auf einen Stapel Briketts und zwängte mich durch die Öffnung ins Freie. Im ersten Stock lärmte nach wie vor die Musik.
Durch die Hintertür ins Haus zu gelangen war nicht möglich, aber das Fenster zur Iffkaschen Wohnung stand noch von meinem vorherigen Eindringen halb offen, sodass ich erneut den Sägebock benutzen konnte. Die Dicke hatte längst mit ihrem Trabant das Weite gesucht, das war mir klar, deshalb ließ ich alle Vorsicht außer acht, schaltete Licht an und has-

tete zur Wohnungstür. Sie war abgeschlossen, doch die Verriegelung ließ sich von innen lösen. Ich stürmte die Treppe hoch, trommelte gegen die Tür der Nachbarn. Es dauerte eine Weile, bis der Birnenköpfige auftauchte. »Was ist denn los, wer …« Er starrte mich entgeistert an.
Ich bot keinen guten Anblick, war verschmutzt, hatte mir ein Dreieck in die Hose gerissen. »Haben Sie Telefon?«
»Tele … nein … Wieso … Wo kommen Sie denn her?« Er erkannte mich wieder.
»Welche Farbe hat Frau Iffkas Trabant? Kennen Sie die Nummer?«, rief ich.
»Frau Iffka ist weggefahren. Vor zehn Minuten. Sie hatte es sehr eilig.«
»Das weiß ich. Wie sieht der Wagen aus?«
»Na, wie schon. Grau. Er hat so einen schwarzen Querstreifen überm Kühler. Die Nummer ist ILB 5 und noch was.«
»Schnell, schließen Sie mir die Haustür auf. Ich muss telefonieren.« Ich versuchte, mir das ILB 5 einzuprägen.
»Aber was ist denn passiert, um Himmels willen?«
Ich sagte ihm, dass es um ein Verbrechen ginge und dass ich die Polizei benachrichtigen müsse, das brachte ihn etwas auf Trab. Zum Glück drehte sich unten gerade der Schlüssel in der Haustür, die Frau des Alten kehrte heim. Sie kam nicht dazu, wieder zu verriegeln. Ich stürmte an ihr vorbei zu einer Telefonzelle am Ausgang des kleinen Parkes. Ich rief in Emdens Dienststelle an, er war um diese Zeit nicht mehr da, doch ein Kommissar, dem ich die Sache so knapp wie möglich darlegte, versprach, die nötigen Schritte einzuleiten. Ich konnte nun einen Augenblick Luft schöpfen, der Fall hatte sich für mich erledigt.
Hatte er sich erledigt? Ich ging zu meinem Wagen zurück,

irgendwo in der Nähe heulten Polizeisirenen, und das Birnenhaupt, das mit seiner Frau an der Haustür stand, rief: »Das kommt von da drüben. In dieser Richtung ist die Iffka gefahren.«

Sirenen von Polizei- oder Krankenwagen waren in letzter Zeit häufig, so schnell konnte mein Anruf nicht gewirkt haben.

Ich fuhr dennoch los, es war die Westberliner Richtung, man schlug sie ein, wenn man zum Flughafen Tegel wollte.

Als ich aus dem Gewirr der kleineren Straßen heraus war und in eine hell beleuchtete Allee einbog, sah ich von weitem den Menschenauflauf. Ein Verkehrsunfall: Es handelte sich um einen schneeweißen Ford, vorn nur leicht beschädigt, und um Dorothea Iffkas Trabant, der ziemlich zugerichtet war.

Sie saß auf dem Fußsteig, mit dem Rücken an einen Baum gelehnt, machte ein düsteres Gesicht und hielt das rechte Bein mit beiden Händen. Als sie mich erblickte, sagte sie: »Ich war nicht schuld, diesmal wirklich nicht, aber es hat mein Bein erwischt, ich kann nicht auftreten.«

»Der Krankenwagen wird gleich hier sein«, erwiderte ich und dachte: die Kripo ebenfalls.

»Wissen sie's schon?«, fragte die dicke Dame und deutete auf die Verkehrspolizisten, die sich uns näherten.

»Ich glaube nicht, aber die Fahndung wird bald durchgegeben werden.«

»Sie waren verdammt schnell, Krey«, murmelte sie, »womöglich hätten Sie mich auch ohne diesen Unfall gekriegt.«

»Vielleicht, aber das ist nun ohne Bedeutung.«

»Werden Sie den Bullen erklären, wie es sich zugetragen hat und dass es sich bei der anderen Geschichte gleichfalls um einen Unfall handelte?«

»Ich werde ihnen berichten, was Sie mir erzählt haben, Frau Iffka.«

»Die viele Knete, es ist weiß Gott ein Jammer«, flüsterte sie. Und in diesen Ruf des Bedauerns hätte ich einstimmen können, ohne mich groß vergewaltigen zu müssen.